EARLY VIEWS OF INDONESIA

Drawings from the British Library

PEMANDANGAN INDONESIA DI MASA LAMPAU

Seni Gambar dari British Library

PEMANDANGAN INDONESIA DI MASA LAMPAU

Seni Gambar dari British Library

Annabel Teh Gallop

EARLY VIEWS OF INDONESIA

Drawings from the British Library

UNIVERSITY OF HAWAI'I PRESS
HONOLULU

Early views of Indonesia: drawings from the British Library is the catalogue of an exhibition held in Jakarta in 1995 to mark the presentation to the National Library of Indonesia of a complete set of facsimile reproductions of 510 archaeological drawings of Indonesia in the British Library. The presentation is a gift from the British government to the people of the Republic of Indonesia to commemorate the 50th anniversary of the Declaration of Indonesian independence.

Pemandangan Indonesia di masa lampau: seni gambar dari British Library adalah katalog pameran yang diselenggarakan di Jakarta pada tahun 1995 untuk menandai penyerahan kepada Perpustakaan Nasional Republik Indonesia satu set lengkap 510 reproduksi gambar arkeologis Indonesia di British Library. Penyerahan ini merupakan hadiah dari pemerintah Inggris kepada rakyat Indonesia pada peringatan kemerdekaan Indonesia yang ke 50.

Dimensions given are in millimetres, height preceding width.

Photograph credits:
24, 47-49, 55 by permission of the Trustees of the British Museum; **5** by courtesy of the Zoological Society of London; **83** by courtesy of the Tate Gallery, London. All other photographs are reproduced by courtesy of the British Library Board.

Published in North America by
University of Hawai'i Press
2840 Kolowalu Street
Honolulu, Hawai'i 96822

Published in the United Kingdom by
The British Library
Great Russell Street
London WC1B 3DG

Designed by Andrew Schoolbred in Bodoni Book
Printed in England by BAS Printers, Over Wallop, Hampshire

Library of Congress Cataloguing-in-Publication Data
Gallop, Annabel Teh
Early views of Indonesia: drawings from the British Library / Annabel Teh Gallop
p. cm.
Includes bibliographical references.
ISBN 0-8248-1805-9
1. Indonesia–Antiquities–Pictorial works–Catalogs. 2. Indonesia-Pictorial works–Catalogs. 3. British Library-Catalogs. I. Title.
DS621.G35 1995 95-37198
016.9598'01'0222-dc20 CIP

front cover: Plate 19
inside front cover: WD 958, f.21v (248)
back cover: WD 953, f.100 (111)
inside back cover: WD 958, f.21v (249)
p.1: WD 958, f.15 (221)
pp.2-3: Plate 16

CONTENTS
DAFTAR ISI

ACKNOWLEDGEMENTS
UCAPAN TERIMA KASIH

On the 50th anniversary of Indonesian independence, it is a great pleasure for the British Library to be working closely once again with the National Library of Indonesia, and my sincere thanks are due to the National Librarian, Ibu Mastini Hardjo-Prakoso, for all her support for the exhibition.

The author is only one of many people responsible for this book, and I would like to thank my editor David Way for all his kind help and advice; Andrew Shoolbred for his most elegant design; photographers Michael and Barbara Gray of Monmouth Calotype for producing the superb facsimile set of Indonesian archaeological drawings and the exhibition plates; Soelichah Sutjahjono for translating the Indonesian text and Edith Loupatty for her skilful editing; Elizabeth Hunter and Lawrence Pordes for photography of the other British Library items; John Bastin for contributing the preface; co-publishers John McGlynn of the Lontar Foundation in Jakarta and William Hamilton of Hawai'i University Press; and Paul Gumn and Robin Oliver of B.A.S. Printers.

Special thanks are due to Charles Gray of the British Embassy in Jakarta for commissioning the project; Helen Feather of the F.C.O. in London for helping to steer it through from start to finish; and Anne-Marie Gray for her warm hospitality.

For their generous assistance and professional expertise I am most grateful to Richard Blurton and Angela Roche of the British Museum, and, at the British Library, to my colleagues Andrew Cook, Tony Farrington, Henry Ginsburg, Patricia Herbert, Jennifer Howes, Jerry Losty, Linda Raymond, Lydia Seager and especially John Falconer and Patricia Kattenhorn. This project would not have been feasible without the listing and identification of all the Indonesian archaeological drawings in Mildred Archer's catalogue (1969), or without Jonathan's forbearance.

Annabel Teh Gallop

Pada peringatan kemerdekaan Indonesia yang ke-50, sungguh menyenangkan bagi pihak British Library untuk bekerja sama sekali lagi dengan Perpustakaan Nasional Republik Indonesia. Atas segala dukungannya untuk pameran ini saya ingin mengucapkan terima kasih setinggi-tingginya kepada Kepala Perpustakaan, Ibu Mastini Hardjo-Prakoso.

Pengarang hanya merupakan salah seorang dari tim yang menghasilkan buku ini. Perkenankan saya menyatakan rasa terima kasih kepada David Way, editor; Andrew Shoolbred, perencana buku; Michael dan Barbara Gray dari Monmouth Calotype yang menghasilkan foto pameran dan set reproduksi gambar arkeologis Indonesia; Soelichah Sutjahjono, penerjemah teks Indonesia; Edith Loupatty, editor teks Indonesia; Elizabeth Hunter dan Lawrence Pordes, juru foto British Library; John Bastin, penasihat; penerbit bersama John McGlynn dari Yayasan Lontar dan William Hamilton dari Hawai'i University Press; dan Paul Gumn dan Robin Oliver dari B.A.S. Printers.

Terima kasih yang khusus saya tujukan kepada Charles Gray dari Kedutaan Besar Inggris di Jakarta yang memesan proyek ini; Helen Feather dari Departemen Luar Negeri di London yang menangani proyek ini dari awal sampai akhir; dan Anne-Marie Gray atas segala kebaikannya.

Saya merasa berhutang budi kepada Richard Blurton dan Angela Roche dari British Museum, dan kepada banyak rekan saya di British Library: Andrew Cook, Tony Farrington, Henry Ginsburg, Patricia Herbert, Jennifer Howes, Jerry Losty, Linda Raymond, Lydia Seager dan khususnya John Falconer dan Patricia Kattenhorn. Proyek ini tidak mungkin diselenggarakan tanpa katalog lukisan arkeologis Indonesia karya Mildred Archer (1969). Kesabaran Jonathan sangat dihargai.

Annabel Teh Gallop

FOREWORD
SAMBUTAN

The 50th anniversary of Indonesia's declaration of independence is a good time to reflect on the long-standing links between Indonesia and the United Kingdom. These are vividly illustrated in the magnificent set of archaeological drawings commissioned by Thomas Stamford Raffles (Lieutenant-Governor of Java from 1811–16) which now form a unique part of the British Library's collection.

Despite the brevity of their stay, Raffles and his small team of artists and surveyors sought to carry out a systematic and scientific study of all aspects of Java's history and culture. Many antiquities and temples were surveyed and sketched for the first time. The beauty of Prambanan and Borobudur made a particularly deep impression.

In reproducing these drawings in their entirety, as an anniversary gift to the people of Indonesia, I am delighted that this historically important collection can now be seen by a much wider audience. I hope that this book, which contains a selection of drawings from the collection, will serve as a reminder of the past ties between our two countries. These provide the foundation on which our relations today continue to develop and prosper.

The Rt. Hon. Malcolm Rifkind QC MP
Secretary of State for Foreign and Commonwealth Affairs

Peringatan hari ulang tahun kelimapuluh kemerdekaan Republik Indonesia adalah saat yang baik untuk mengenang hubungan lama antara Indonesia dan Inggris. Kenangan ini digambarkan secara hidup oleh serangkaian gambar arkeologis indah yang dipesan oleh Thomas Stamford Raffles (Letnan Gubernur Jawa pada tahun 1811–16) dan sekarang merupakan bagian unik dari koleksi British Library.

Walaupun ia hanya tinggal untuk waktu yang singkat, Raffles dan kelompok pelukis serta penelitinya berusaha untuk melakukan kajian yang sistematis dan mendalam tentang semua aspek sejarah dan kebudayaan Jawa. Banyak peninggalan purbakala dan candi diteliti dan digambar untuk pertama kali. Keindahan candi Prambanan dan candi Borobudur meninggalkan kesan yang sangat mendalam.

Reproduksi gambar-gambar ini secara menyeluruh merupakan hadiah ulang tahun kemerdekaan bagi rakyat Indonesia. Saya senang bahwa koleksi ini, yang penting dari segi sejarah, sekarang dapat dinikmati oleh lebih banyak orang. Saya mengharapkan bahwa buku ini, yang berisi beberapa gambar pilihan dari koleksi tersebut, dapat menjadi peringatan akan ikatan pada masa lalu antara kedua negara kita ini. Ikatan inilah yang menjadi dasar mengapa hubungan kita saat ini terus berkembang dan menjadi semakin erat.

The Rt. Hon. Malcolm Rifkind QC MP
Menteri Luar Negeri dan Persemakmuran

PREFACE
KATA PENGANTAR

The drawings described in this catalogue reflect the British connection with Indonesia mainly in the period 1811–16, when Thomas Stamford Raffles was Lieutenant-Governor of Java. The inspiration and direction he gave to investigating the history and culture of the island began a new age in the scientific study of Indonesia, and his role in resuscitating the moribund Batavian Society of Arts and Sciences, and his assumption of the position of its President, gave him the opportunity to point the way in which researches and enquiries should proceed.

Two of the leading lights of the Batavian Society to whom he gave particular support and encouragement in their scientific and cultural investigations were Lieutenant-Colonel Colin MacKenzie of the Madras Engineers, and Dr Thomas Horsfield, the American naturalist, who had previously been employed by the Netherlands colonial government in studying *materia medica* and natural history. Both men had a passionate interest in the antiquities of the island, and recorded in pencil, ink and watercolour the antiquities they visited. MacKenzie employed his own artists, including the Eurasian, John Newman. Horsfield made many drawings himself, but he was also assisted by pupils of the Semarang Marine School, like C.Coolen, Jan van Stralendorff and J.G.Doppert. Horsfield was one of the first Westerners to appreciate the beauty of Javanese antiquities and he was also the first to visit the major complexes in the island. His writings on Javanese antiquities are quoted so extensively by Raffles in his *The History of Java* (London, 1817) that much of the relevant printed text is, in fact, by him, and not by Raffles. His drawings and those belonging to MacKenzie are now in the British Library and are described in this catalogue.

Another one who was encouraged by Raffles in the study of Javanese antiquities was Captain G.P.Baker of the Bengal Light Infantry Battalion, who surveyed Prambanan and Borobudur, and whose drawings are also in the British Library, the British Museum and the Royal Asiatic Society. Other drawings of Javanese antiquities in the British Library are by the Dutch engineer, Major H.C.Cornelius, who surveyed Borobudur and the

Lukisan-lukisan yang diuraikan dalam katalog ini mencerminkan hubungan Inggris dengan Indonesia terutama dalam periode 1811–16, saat Thomas Stamford Raffles menjadi Letnan Gubernur Jawa. Ilham dan pengarahan yang ia berikan untuk meneliti sejarah dan budaya pulau Jawa menandakan dimulainya suatu zaman baru dalam penelitian ilmiah mengenai Indonesia, dan perannya dalam memberi nafas kembali atas Perkumpulan Seni dan Sains Batavia (*Bataviaasch Genootschap van Kunsten en Wetenschappen*) yang hampir lenyap, dan kedudukannya sebagai Presiden dalam Perkumpulan tersebut, memberikannya kesempatan untuk mengarahkan penelitian.

Dua anggota terkemuka dari Perkumpulan Batavia yang mendapat dukungan dan dorongan dari Raffles dalam penelitian ilmiah dan budaya yang mereka lakukan adalah Letnan Kolonel Colin MacKenzie dari Madras Engineers dan Dr Thomas Horsfield, seorang naturalis berkebangsaan Amerika yang sebelumnya bekerja bagi pemerintah kolonial Belanda untuk mempelajari *materia medica* dan ilmu pengetahuan alam. Kedua orang ini mempunyai minat besar atas peninggalan pulau ini dan mereka mencatat dengan pensil, pena dan cat air tempat-tempat peninggalan purbakala yang mereka kunjungi. MacKenzie mempekerjakan pelukis-pelukisnya sendiri, termasuk John Newman yang berdarah Eropa dan Asia. Horsfield membuat banyak gambar sendiri, tetapi ia juga dibantu oleh beberapa siswa dari Sekolah Pelayaran Semarang, seperti C.Coolen, Jan van Stralendorff dan J.G.Doppert. Horsfield adalah salah satu orang Barat pertama yang menghargai keindahan benda-benda purbakala Jawa dan ia pulalah yang pertama kali mengunjungi tempat-tempat peninggalan arkeologis di pulau Jawa. Tulisan-tulisannya mengenai kepurbakalaan Jawa banyak sekali dikutip oleh Raffles dalam bukunya *The History of Java* (London, 1817) sehingga sebahagian besar teks tercetak mengenai peninggalan purbakala merupakan tulisannya dan bukan tulisan Raffles. Gambar-gambar Horsfield dan MacKenzie sekarang terdapat di British Library dan diuraikan dalam katalog ini.

Seorang lain yang juga didorong oleh Raffles untuk mempelajari benda-

antiquities of the Dieng plateau during Raffles's period, and by his Dutch assistants, J.Flikkenschild, A.F.van der Geugten, P.C.Karsseboom, J.H.D.Knops and J.W.B.Wardenaar.

It is singularly appropriate that the work of a number of the artists, working at a time when Great Britain and Indonesia were directly linked, should be exhibited to mark the 50th anniversary of the independence of Indonesia, and that facsimile copies of the archaeological drawings should be presented to Indonesia by the British Government to mark the occasion. It is also most fitting that the reproductions of the archaeological drawings will be housed in the National Library of the Republic of Indonesia, heir to the manuscript collections of the Batavian Society of Arts and Sciences, once presided over by Raffles.

Some of these archaeological drawings, and others depicting more general scenes of everyday life in Indonesia, form part of the present exhibition, and are described in this catalogue. Unlike some of the rather tired images of Indonesia that are commonly reproduced from well known prints, the drawings now exhibited for the first time give an entirely fresh and exciting view of Indonesia as seen directly through the eyes of the artists themselves, without the intermediate influence of the engraver.

John Bastin

benda purbakala Jawa adalah Kapten G.P.Baker dari Bengal Light Infantry Battalion yang meneliti candi Prambanan dan candi Borobudur, dan gambar-gambarnya juga disimpan di British Library, British Museum dan Royal Asiatic Society. Gambar-gambar lainnya dari benda-benda purbakala Jawa yang ada di British Library dibuat oleh seorang insinyur Belanda, Mayor H.C.Cornelius yang meneliti Borobudur dan peninggalan di dataran Dieng, J.Flikkenschild, A.F.van der Geugten, P.C.Karsseboom, J.H.D.Knops dan J.W.B.Wardenaar.

Sangatlah tepat bahwa hasil karya para artis yang bekerja pada saat Inggris dan Indonesia mempunyai hubungan langsung dipamerkan untuk menandai hari ulang tahun kelimapuluh kemerdekaan Indonesia, dan bahwa reproduksi dari gambar-gambar arkeologis akan dipersembahkan ke Indonesia oleh Pemerintah Inggris dalam rangka perayaan ini. Sangat tepat pula bahwa reproduksi lukisan arkeologis tersebut akan disimpan di dalam Perpustakaan Nasional Republik Indonesia, yang mewarisi koleksi naskah Indonesia dari koleksi Perkumpulan Seni dan Sains Batavia, yang pada satu saat pernah dikepalai Raffles.

Beberapa lukisan arkeologis tersebut dan gambar-gambar lain yang melukiskan kehidupan sehari-hari di Indonesia, akan menjadi bagian dari pameran ini, dan gambar-gambar tersebut diuraikan dalam katalog ini. Tidak seperti kebanyakan gambaran mengenai Indonesia yang biasanya direproduksi dari gambar terukir terkenal, lukisan-lukisan yang baru kali ini dipamerkan akan memberi pandangan yang baru dan menarik tentang Indonesia sebagaimana dilihat langsung dari mata para pelukisnya tanpa campur tangan dari juru ukir gambar.

John Bastin

INTRODUCTION
PENDAHULUAN

British links with Indonesia

The connections between Britain and Indonesia date back more than four hundred years, to the arrival of Francis Drake in Maluku in November 1579 during his epic voyage around the world. His route home took him through the Banda Sea and along the uncharted south coast of Java, calling in at Cilacap before heading westwards across the Indian Ocean. Despite having to throw three tons of cloves and two large cannons overboard when his ship became stuck on a reef east of Sulawesi, Drake managed to arrive back in England with a cargo of cloves from Ternate, later celebrated by Milton in *Paradise Lost* as the isle 'whence merchants bring their spicy drugs'.[1]

Drake's early success and the addictive scent of the profits promised by the spice trade led to the formation in 1600 of the English East India Company. In 1601 Sir James Lancaster led the first East India Company voyage to Indonesia, where he established the first English 'factory' or trading post at Banten. During the 17th century, further trading posts were set up at Sukadana, Banjarmasin, Makasar, Ambon, Banda Neira, Jepara, Aceh, Pariaman, Inderagiri and Jambi, but by far the longest-lived was the factory founded in 1685 on the west coast of Sumatra at Bengkulu.

For a brief period in the early 19th century Java came under British rule, reflecting the quirks of European history. As Napoleon's forces swept across Europe and into Holland, Britain began to seize Dutch possessions overseas to prevent them being used as bases for French attacks upon British shipping. In 1811, a British expeditionary force led by Lord Minto (1751–1814), Governor-General of Bengal, set sail from Melaka and swiftly defeated the Franco-Dutch forces in Java. Thomas Stamford Raffles served as Lieutenant-Governor of Java from 1811 until 1816, when Java was returned to the Netherlands government following the defeat of Napoleon at Waterloo. A short while later, Bengkulu was surrendered to Dutch control in 1824 under the terms of the Treaty of London, thus bringing to an end more than two centuries of the East India Company presence in Indonesia.

Hubungan Inggris dengan Indonesia

Hubungan Inggris dengan Indonesia dimulai lebih dari empat ratus tahun yang lalu, ketika Francis Drake mendarat di Maluku pada bulan Nopember 1579 dalam perjalanannya yang hebat mengelilingi dunia. Perjalanan pulangnya melewati Laut Banda dan pantai selatan Jawa, dan ia berlabuh di Cilacap sebelum meneruskan pelayarannya ke barat menyeberangi Lautan Indonesia. Meskipun Drake terpaksa membuang sebagian muatannya – termasuk tiga ton cengkeh dan dua meriam besar – ketika kapalnya tersangkut batu karang di sebelah timur Sulawesi, Drake berhasil kembali dengan selamat ke Inggris dengan membawa muatan cengkeh dari Ternate yang kemudian oleh penyair Inggris Milton disebut sebagai pulau 'dari mana pedagang membawa rempah-rempah yang memukau'.[1]

Keberhasilan awal Drake dan keuntungan besar yang dijanjikan dalam perdagangan rempah-rempah mendorong dibentuknya English East India Company pada tahun 1600. Pada tahun 1601 Sir James Lancaster memimpin pelayaran East India Company yang pertama ke Indonesia, dan ia mendirikan *factory* atau pos perdagangan Inggeris pertama di Banten. Pada abad ke 17 didirikan lagi beberapa pos perdagangan di Sukadana, Banjarmasin, Makasar, Ambon, Banda Neira, Jepara, Aceh, Pariaman, Inderagiri dan Jambi. Namun demikian, yang bertahan paling lama ialah *factory* yang didirikan pada tahun 1685 di pantai barat Sumatra, di Bengkulu.

Pada abad ke 19, Jawa berada di bawah pemerintahan Inggris untuk jangka waktu yang singkat, akibat seluk-beluk keadaan politik di benua Eropa pada masa itu. Saat pasukan Napoleon bergerak menguasai Eropa dan menduduki negeri Belanda, Inggris mulai merampas milik Belanda di luar negeri untuk mencegah digunakannya tempat-tempat itu sebagai pangkalan Perancis untuk menyerang armada perkapalan Inggris. Pada tahun 1811, ekspedisi Inggris yang dipimpin oleh Lord Minto (1751–1814), Gubernur Jenderal Bengal, berlayar dari Melaka dan dengan mudah mengalahkan pemerintahan Perancis-Belanda di Jawa. Thomas Stamford Raffles diangkat sebagai Letnan Gubernur Jawa dari tahun 1811 hingga 1816, ketika Jawa

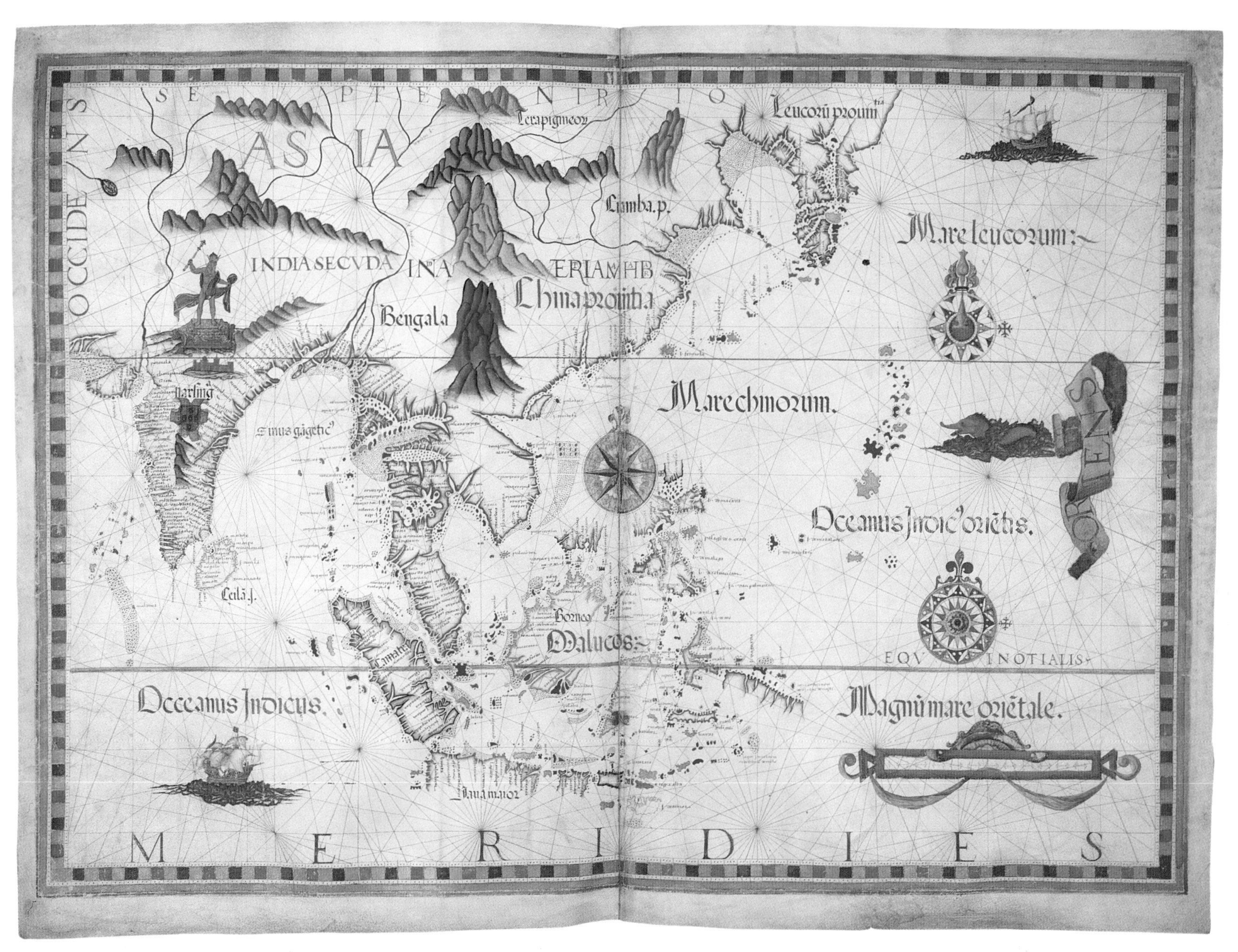

1 PETA NUSANTARA, 1558

The Indonesian archipelago, by Diogo Homem, 1558. Ink, colours and gold on parchment, 590 × 820 mm. Drake (1977:27).
Add.5415A, ff.17v-18r

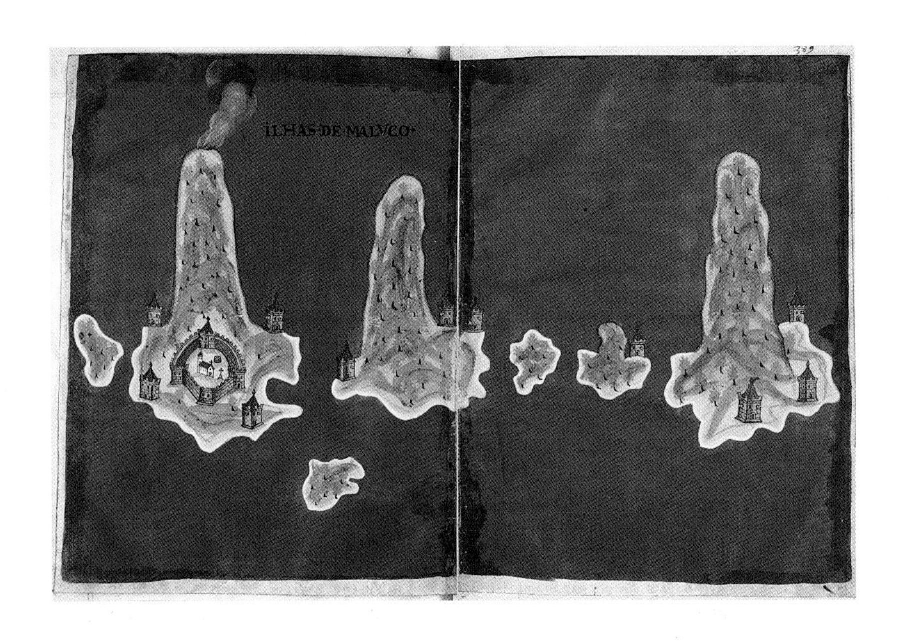

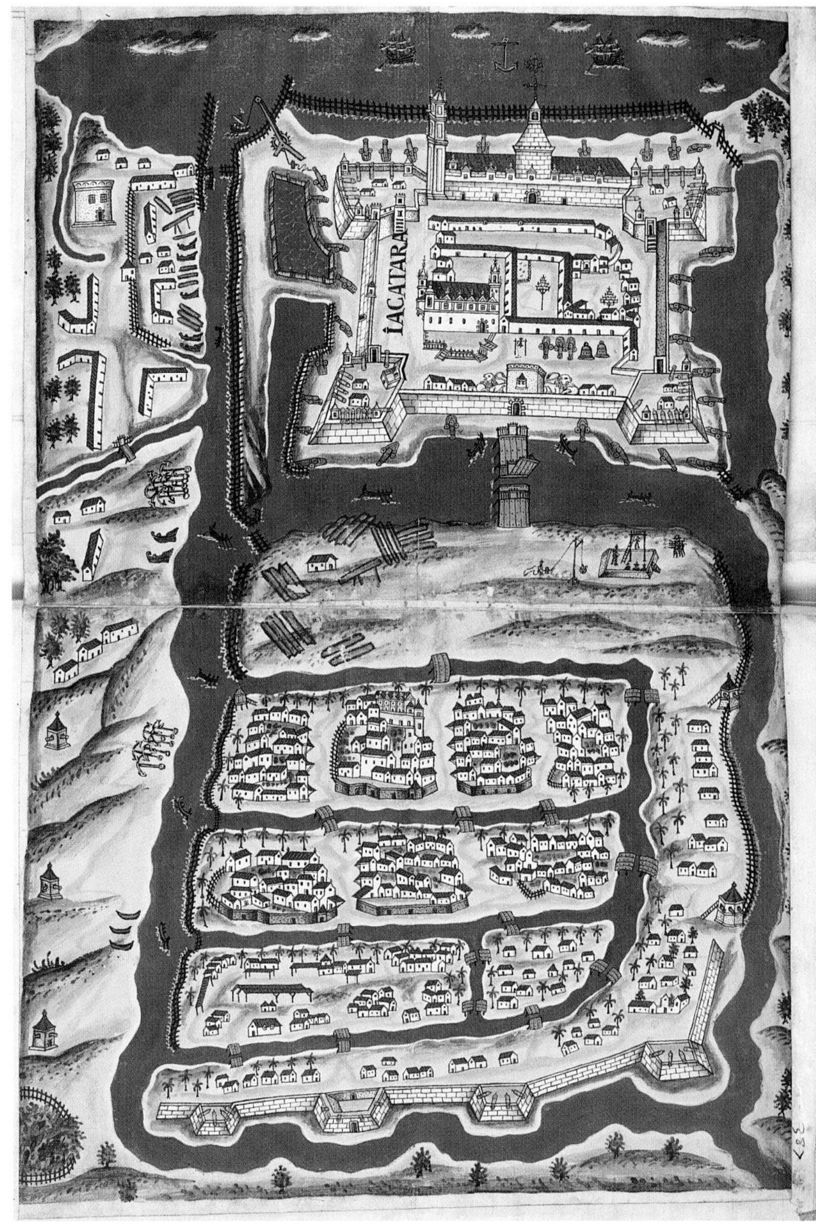

2 MALUKU, 1646

The islands of Maluku – from left to right, Hiri, Ternate, Maitara, Tidore, Mare, Moti and Makian – the interesting perspective representing the heights of the volcanoes on each island. *Ilhas de Maluco*, from a historical and topographical account of the Portuguese settlements in the East Indies, *Livro do Estado da India Oriental, repartido in tres partes*, by Pedro Barreto de Resende, 1646. Ink and colours on paper; 570 × 370 mm.
Sloane MS 197, ff.395v-396r

3 JAKARTA, 1646

Iacatara, from Barreto de Resende, 1646 (see **2**).
Sloane MS 197, ff.393v-394r

British interest in Indonesian culture

In 1991, the British Library exhibition *Golden Letters: Writing Traditions of Indonesia* traced the history of Indonesian letters and manuscripts in British collections. In almost every case, their provenance revealed a commercial link, for most of the Indonesian manuscripts now in British institutions were brought back from Asia by merchants and officials of the East India Company.

However, the converse is not true: commercial links did not automatically guarantee an interest in cultural matters. The long and arduous early voyages from Britain to Indonesia were undertaken solely for commercial gain, and in the early days the East India Company did not have what would now be termed a corporate cultural policy: there was no official patronage of artists, no regular commissioning of works of art, and no policy for the acquisition of cultural artefacts in the ports and countries visited. Beset by the ever-present threat of sickness, shortage of provisions and drinking water, storms at sea and attacks from local forces and hostile European shipping, few merchants were inclined to cultivate an interest in Indonesian culture. The preoccupations of the age are better represented by one of the very few 17th-century Malay documents in the British Library: an exclusive contract with the East India Company for the purchase of pepper in Silebar, West Sumatra, dated 1682 (**4**, and Appendix II), specifying in unambiguous and business-like wording the price and duty payable.

What investigation does reveal is that the presence in British collections of any Indonesian works of art or visual images of Indonesia is overwhelmingly due to individual rather than official endeavours. Four centuries of British links with Indonesia have thus bequeathed a cultural legacy of uneven quality: whereas not a single sketch survives to illustrate the nearly eighty years of the 17th-century British settlement at Banten, the five years of British rule in Java during the early 19th century have resulted in a rich treasury of drawings of all aspects of Indonesian life.

dikembalikan kepada pemerintahan Belanda setelah kekalahan Napoleon di Waterloo. Tidak lama kemudian, Bengkulu menjadi jajahan Belanda dengan adanya Perjanjian London pada tahun 1824, yang mengakhiri kiprah East India Company selama lebih dari dua abad di Indonesia.

Minat Inggris pada kebudayaan Indonesia

Pada tahun 1991, British Library mengadakan pameran *Surat Emas: Budaya Tulis di Indonesia*, yang menyelami asal-usul dan sejarah koleksi surat dan naskah Indonesia di Inggris. Untuk hampir setiap surat atau naskah, cara pemerolehannya mencerminkan hubungan dagang, karena sebagian besar naskah Indonesia yang ada di lembaga-lembaga Inggris dibawa dari kepulauan timur oleh pedagang dan pejabat East India Company.

Meskipun demikian, hal sebaliknya tidak terjadi: hubungan dagang tidak secara otomatis menjamin timbulnya minat dalam hal-hal kebudayaan. Pelayaran yang panjang, sulit dan penuh bahaya dari Inggris ke Indonesia dilakukan semata-mata untuk mendapatkan keuntungan komersial, dan East India Company pada waktu itu tidak memiliki apa yang sekarang disebut sebagai kebijaksanaan budaya korporat. Tidak ada jabatan pelukis resmi, tidak ada pesanan tetap untuk karya seni, dan tidak ada kebijaksanaan untuk mengumpulkan atau mendapatkan benda-benda budaya di pelabuhan atau kota yang dikunjungi. Karena mereka terkurung dalam ancaman penyakit, kekurangan bahan makanan dan air minum, badai di laut dan serangan dari penduduk pribumi maupun armada pelayaran Eropa lain, hanya sedikit sekali di antara para pedagang Inggris itu yang memperlihatkan minat pada kebudayaan Indonesia. Keadaan masa itu digambarkan dengan lebih baik oleh salah satu dari dokumen Melayu abad ke 17 yang jumlahnya sedikit saja dalam British Library: sebuah kontrak eksklusif dengan East India Company untuk pembelian lada di Silebar, Sumatra Barat, pada tahun 1682 (**4**, lihat Lampiran II), yang merincikan harga dan segala sesuatu yang mesti dibayar dengan pilihan kata yang tepat dan resmi.

Thomas Stamford Raffles and The History of Java *(1817)*

The central figure responsible for the wealth of material on Indonesia now held in British institutions was Thomas Stamford Raffles (1781–1826), who headed the British administration of Java from 1811–16 and later served as Lieutenant-Governor of Bengkulu from 1818–24.

Raffles approached his appointment as Lieutenant-Governor of Java with the holistic and then radical view that to understand and govern the island well, it should first be studied from every aspect of its environment and its people and their culture, religion, history, languages, literature and antiquities. He applied himself with vigour to the task of gathering materials for his researches, with a view to publishing a full account of the island. In this mission, he was greatly assisted by two like-minded men: Lieutenant-Colonel Colin MacKenzie (1753–1821), later first Surveyor-General of India, and Dr Thomas Horsfield (1773–1859). MacKenzie had accompanied Raffles on the military expedition to Java in 1811 as Chief Engineer. He brought with him a deep knowledge of Indian history and antiquities as well as a wealth of experience as a surveyor, and Raffles was quick to utilise his unique talents. For two years, until he returned to India in July 1813, MacKenzie travelled throughout Java, exploring Prambanan and other archaeological sites, and arranging for his draughtsmen to sketch everything of interest.

Thomas Horsfield was an American doctor who first visited Java in 1800. Entranced by the riches of the natural environment, he returned in 1801 and entered the service of the Dutch authorities. His appointment enabled him to carry out intensive research into the geology and natural history of Java, as well as indulging his interest in antiquities, and after the British occupation of Java, Raffles encouraged him to continue his work. When Horsfield left Java in 1818, he retired to England, where he became first Keeper of the East India Company's Museum from 1820 to 1859. Whilst on his extensive travels around Java by river, sea and on horseback, Horsfield was constantly sketching, and his finished pencil drawings exhibit a truly consummate skill. In

Yang jelas terungkap dari penyelidikan ini adalah bahwa kehadiran karya seni Indonesia atau gambar Indonesia sangat bergantung pada usaha banyak orang sebagai pribadi, dan bukan sebagai usaha resmi pemerintah. Maka oleh itu, empat abad hubungan Inggris dengan Indonesia telah memberikan warisan kebudayaan yang tidak seimbang. Walaupun tidak ada satu sketsapun yang menggambarkan keberadaan Inggris selama hampir delapanpuluh tahun di Banten pada abad ke 17, namun masa lima tahun pemerintahan Inggris di Jawa pada awal abad ke 19 telah menghasilkan banyak sekali lukisan mengenai segala aspek kehidupan Indonesia.

Thomas Stamford Raffles dan The History of Java *(1817)*

Tokoh yang berperan atas banyaknya materi mengenai Indonesia yang sekarang disimpan di berbagai lembaga Inggris adalah Thomas Stamford Raffles (1781–1826) yang memimpin pemerintahan Inggris di Jawa sejak tahun 1811 hingga 1816, dan yang kemudian menjadi Letnan Gubernur Bengkulu (1818–24).

Raffles melakukan pendekatan yang menyeluruh dan radikal atas penugasannya sebagai Letnan Gubernur Jawa, yaitu bahwa untuk mengerti dan memerintah Pulau Jawa dengan baik, maka harus dipelajari dahulu segala aspek lingkungan dan masyarakatnya, termasuk kebudayaan, agama, sejarah, bahasa, kesusasteraan dan peninggalan kuno. Raffles bersikeras untuk mengumpulkan bahan penelitiannya dengan tujuan menerbitkan buku mengenai keseluruhan pulau itu. Dalam misi ini, ia dibantu oleh dua orang yang memiliki pendapat dan minat yang sama, yaitu Letnan Kolonel Colin MacKenzie (1753–1821), yang kemudian menjadi Juru Ukur Kepala India yang pertama, dan Dr Thomas Horsfield (1773–1859). MacKenzie turut bersama Raffles pada ekspedisi militer ke Jawa pada tahun 1811 sebagai Insinyur Kepala. MacKenzie memiliki pengetahuan yang mendalam mengenai sejarah dan peninggalan kuno India. Dia juga sangat berpengalaman seba-

4 PERJANJIAN UNTUK MEMBELI LADA DI SILEBAR, 1682

Agreement between Kiai Dipati Ujung Galuh, Dipati Ululura, Dipati Lawang Kidal and the Peruatan Duabelas and Benjamin Cruft and Daniel Cook of the East India Company for the exclusive purchase of pepper in Silebar, [Jumaat] Rabiulawal 1093/16 March 1682. In Malay in Jawi script and English; ink on paper; 321 × 205 mm. Full transliteration in Appendix II.

IOR Original Correspondence E/3/43, ff.50v-51r

some of his most important pictures, Horsfield includes in a corner what appears to be a self-portrait: a small image of a European, invariably with a sketchbook (**10-13**).

Prior to his departure from Java, Raffles spent a lot of time in Cisarua (**7**), where he began to organise the material he had collected for his proposed history of the island. Accompanied by two pet tiger cubs which he fed on vegetables and milk, and with a resident gamelan orchestra hired to play from morning to night, Raffles was surrounded by kindred spirits: a few British officials, and the Javanese scholars who were assisting him with the translation of the *Bharatayuddha*. The fruit of these endeavours was the publication in two volumes of *The History of Java* in London in 1817 (**5**). This was the first scientific account ever published of Java, bringing

gai seorang ahli ukur, dan Raffles segera saja menggunakan bakat yang langka ini. Selama dua tahun sebelum dia kembali ke India pada bulan Juli 1813, MacKenzie melakukan perjalanan ke pelosok Jawa, meneliti Prambanan dan tempat peninggalan lama yang lain, dan memerintahkan ahli-ahli gambarnya untuk membuat sketsa benda apa saja yang menarik.

Thomas Horsfield adalah seorang dokter Amerika yang pertama kali mengunjungi Jawa pada tahun 1800. Terpukau melihat kekayaan lingkungan alamnya, ia kembali lagi pada tahun 1801 dan bekerja untuk pemerintah Belanda. Penugasannya memberi Horsfield kesempatan untuk melakukan penelitian intensif atas geologi dan ilmu pengetahuan alam Jawa sekaligus juga memuaskan minatnya pada benda-benda peninggalan kuno. Setelah Inggris menduduki Jawa, Raffles mendorongnya untuk tetap melanjutkan

together an exceptionally wide range of material culled from both European and Indonesian sources, and in many ways remains an essential reference work today.

Reproduced here is a selection from the British Library's superb collection of over 1500 drawings of Indonesia dating from the early 19th century, most of which have never been published before. The catalogue is presented in three sections: archaeological drawings from Java from the Horsfield and MacKenzie collections; scenes of daily life, also from the Horsfield and MacKenzie collections formed in Java; and natural history drawings, most of which originate from Sumatra.

THE

HISTORY

OF

JAVA.

BY

THOMAS STAMFORD RAFFLES, Esq.

Late Lieut.-Governor of that Island and its Dependencies,

F.R.S. and A.S.

Member of the Asiatic Society at Calcutta, Honorary Member of the Literary Society at Bombay, and late President of the Society of Arts and Sciences at Batavia.

IN TWO VOLUMES.

WITH A MAP AND PLATES.

VOL. I.

LONDON:

PRINTED FOR BLACK, PARBURY, AND ALLEN, BOOKSELLERS TO THE HON. EAST-INDIA COMPANY, LEADENHALL STREET; AND JOHN MURRAY, ALBEMARLE STREET.

1817.

5 *SEJARAH JAWA*, DENGAN GAMBAR RADEN RANA DIPURA

Thomas Stamford Raffles, *The History of Java* (London, 1817).

W 2323, Vol.1, title page

pekerjaannya. Ketika Horsfield meninggalkan Jawa pada tahun 1818, dia pergi ke Inggris untuk menghabiskan masa pensiunnya dengan menjadi Kurator museum East India Company dari tahun 1820–59. Horsfield selalu membuat sketsa-sketsa dalam perjalanannya keliling Jawa melalui sungai, laut dan berkuda di darat, dan hasilnya adalah gambar-gambar dengan pensil yang amat memancarkan ketrampilannya. Dalam beberapa gambarnya, Horsfield memasukkan potret dirinya di salah satu sudut gambarnya: seorang tokoh Eropa yang sedang sibuk melukis dalam buku sketsanya (**10-13**).

Sebelum berangkat dari Jawa, Raffles banyak menghabiskan waktunya di Cisarua (**7**), di mana ia mulai mengatur materi yang telah dikumpulkannya untuk buku sejarah Jawa yang direncanakannya. Pada masa itu Raffles ditemani dua ekor anak harimau yang makanannya adalah sayur-mayur dan susu, sedangkan sekelompok pemain gamelan diminta main sejak pagi hingga malam. Raffles dikelilingi oleh sekelompok orang-orang yang sudah seperti keluarganya sendiri, yaitu beberapa orang pejabat Inggris dan cendekiawan Jawa yang membantunya dalam penerjemahan *Bharatayuddha*. Hasil usaha keras ini adalah penerbitan dua jilid *The History of Java* di London pada tahun 1817 (**5**). Buku ini merupakan laporan ilmiah pertama mengenai pulau Jawa yang diterbitkan, berdasarkan materi yang cakupannya luas yang dipetik dari sumber-sumber Eropa dan Indonesia. Hingga hari ini, buku ini masih sangat penting sebagai buku acuan.

Yang ditunjukkan dalam katalog ini adalah beberapa pilihan dari 1500 lukisan Indonesia dari awal abad ke 19 yang merupakan koleksi British Library yang mengagumkan. Sebagian besar gambar ini belum pernah diterbitkan. Katalog ini terdiri dari tiga bagian: gambar-gambar arkeologis dari Jawa dalam koleksi Horsfield dan MacKenzie; pemandangan kehidupan sehari-hari, juga dari koleksi Horsfield dan MacKenzie yang dibuat di Jawa; dan lukisan lingkungan hidup yang kebanyakan berasal dari Sumatra.

6 SIR THOMAS STAMFORD RAFFLES

Raffles, with his arm resting on a volume of *The History of Java*, by James Lonsdale, *ca*.1818. Oil on canvas.

Zoological Society of London

7 RUMAH RAFFLES DI CISARUA, JAWA BARAT

Raffles's house at Cisarua, West Java. Pencil; 210 × 247 mm. Kattenhorn (1994:10).

WD 4303

8 COLIN MACKENZIE, 1816

MacKenzie and three of his Indian assistants, by Thomas Hickey, 1816. Oil on canvas; 585 × 380 mm.

F 13

9 TANDA MILIK BUKU MACKENZIE

MacKenzie's bookplate, from an album of drawings. Engraving; 113 × 88 mm.

From folder *No. 7 Java*, stored with WD 899 etc.

10 HORSFIELD DI CANḌI SARI

A self-portrait at Candi Sari with a Javanese attendant, by Dr Thomas Horsfield. Pencil; 318 × 390 mm. Archer (1969:ii.455), Archer (1958:461).
WD 957, f.9 (99) (detail)

11 HORSFIELD MELUKIS SEBUAH GUNUNG DEKAT SOLO

A self-portrait sketching a mountain near Solo, by Dr Thomas Horsfield, *ca.*1814. Pencil; 255 × 550 mm. Archer (1969:ii.448).
WD 527 (detail)

12 HORSFIELD MELUKIS GUNUNG MURYO, JEPARA

A self-portrait sketching Mount Muryo, Jepara, from the sea, by Dr Thomas Horsfield, *ca.*1814. Pencil; 325 × 462 mm. Archer (1969:ii.448).
WD 528 (detail)

13 HORSFIELD MELUKIS DEKAT SUNGAI DI JAWA TIMUR

Self-portrait of Horsfield sketching by a river in East Java (see Plate 17).
WD 956, f.19v (22) (detail)

ARCHAEOLOGICAL DRAWINGS
GAMBAR ARKEOLOGIS

The temples of Java

One of the greatest periods of monument-building in stone that the world has known commenced in Central Java in the late 7th century, and reached a climax with the construction of Borobudur in the 8th century and the Loro Jonggrang temple complex at Prambanan in the 9th century. During the 10th century the centre of activity shifted to East Java, where temples were constructed in stone and then brick through to the late 15th century. The temples were Buddhist and Hindu, and it was the spread of Islam throughout Java from the 15th century onwards that brought to an end both this period of temple building and their formal use. Neglected and uncared for, the temples fell into disuse and thence decay, hastened by the unchecked growth of vegetation and volcanic and seismic activity.

Yet despite this period of neglect, the temples did not 'disappear'. They were, of course, fully known to villagers living in the vicinity, and indeed, the main statues of divinities continued to be receptacles for offerings of flowers and fruit through the centuries and even into the present day. During the 18th century, officials of the Dutch East India Company on visits from Batavia to the Mataram capital of Kartasura would have passed regularly through the Prambanan plain, with its numerous archaeological remains. The ruins of the temples were evident; it was simply the will to enquire about them that was then lacking. It is thus a misnomer to speak of the 'discovery' of many of these great monuments by European officials in the early 19th century. Such a term must be reserved for the likes of the farmer in the village of Sambisari in Central Java who, whilst hoeing a vegetable patch one day in July 1966, struck a stone. When he stooped to remove it, he found it to be carved and embedded with other underlying stones in the soil. Subsequent excavations revealed the 9th-century Candi Sambisari, completely covered by volcanic sand since an eruption, perhaps in the 15th century.

Yet whilst knowledge of most of these monuments thus remained part of the collective consciousness of the surrounding villagers, the exploration, survey and recording of many of the temples of Java only really commenced

Candi-candi di Pulau Jawa

Salah satu zaman kejayaan pembuatan monumen dari batu berawal di Jawa Tengah pada akhir abad ke 7 yang mencapai puncaknya dengan pembangunan candi Borobudur pada abad ke 8 dan kompleks candi Loro Jonggrang di Prambanan pada abad ke 9. Pada abad ke 10 pusat kegiatan beralih ke Jawa Timur di mana pembangunan candi dilakukan dengan menggunakan batu dan batu bata hingga akhir abad ke 15. Candi-candi ini adalah candi Hindu dan Buddha yang pembangunan dan penggunaan resminya berakhir dengan

14 SEBUAH ALBUM GAMBAR ARKEOLOGIS DARI KOLEKSI HORSFIELD

Pages from an album of archaeological drawings from the Horsfield collection, showing antiquities from Lumajang, Borobudur, Sukuh and Singasari. Ink, wash and pencil; folio size 532 × 360 mm. Archer (1969:ii.458).
WD 948, ff.3v-4r (183-188)

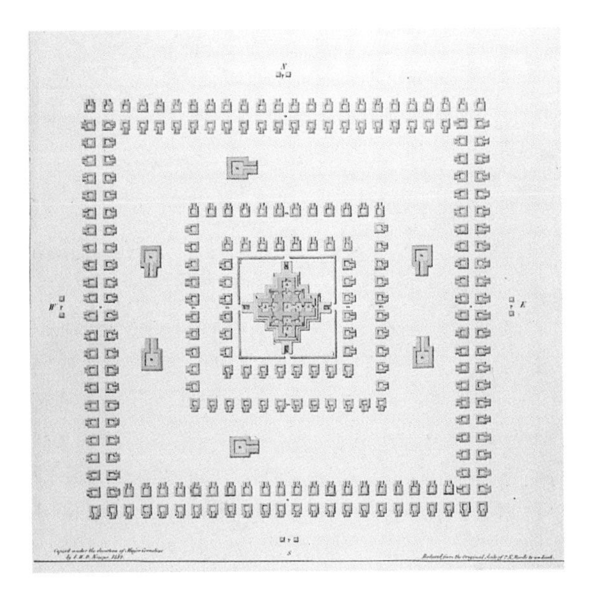

15 DENAH CANDI SEWU

Plan of Candi Sewu, a copy made for MacKenzie in India from an original by J.H.D.Knops. Inscribed in ink: *Plan of the Ruins of Bramin Antiquities found in the interior of the Island of Java . . .* Ink and pink watercolour; 473 × 297 mm.
WD 906 (19)

16 CANDI INDUK DI KOMPLEKS CANDI SEWU

Main temple at Candi Sewu, Prambanan. Ink and wash; 400 × 331 mm. Archer (1969:ii.456).
WD 957, f.13 (103)

17 'CANDI BERTANGGAL' DI CANDI PANATARAN

The 'dated temple' at Candi Panataran, by Dr Thomas Horsfield. Pencil; 369 × 270 mm. Archer (1969:ii.456).
WD 957, f.20 (110)

18 PEMANDIAN, JAWA TIMUR

Bathing place with decorated water-spout, East Java, by Dr Thomas Horsfield, *ca.*1815. Pencil; 230 × 355 mm. Archer (1969:ii.457).
WD 957, f.37 (129)

during the British administration of Java from 1811 to 1816. The allocation of government resources to this project was due to the personal scholarly interest of the Lieutenant-Governor of Java, Thomas Stamford Raffles, who enthusiastically embraced the study of all aspects of Javanese history and culture. Under Raffles's direction, teams of British and Dutch engineers and draughtsmen were sent out to inspect these sites, whilst Javanese authorities on history and literature were approached for help with deciphering inscrip-

19 ARCA GARUDA, CANDI SUKUH
Headless statue of Garuda, Candi Sukuh. Pencil; 257 × 195 mm. Archer (1969:ii.461)
WD 958, f.21v (248)

masuknya agama Islam ke Pulau Jawa sejak abad ke 15. Candi-candi yang tidak terawat dan tidak digunakan lagi itu lama-kelamaan rusak. Kerusakan candi dipercepat dengan tumbuhnya tanaman liar yang tak terkendali serta adanya gempa bumi dan letusan gunung berapi.

Meskipun demikian, candi-candi tersebut tidak 'menghilang'. Reruntuhan candi tetap dikenal oleh penduduk di sekitarnya dan arca utama para dewa-dewi tetap menjadi tempat pemujaan di mana orang setempat meletakkan sesaji selama berabad-abad, bahkan hingga kini. Selama abad ke 18, para pejabat VOC tentu juga melewati dataran Prambanan dan melihat segala reruntuhan di sekitarnya dalam setiap kunjungan mereka dari Batavia ke Kartasura, ibukota Mataram, namun mereka pada umumnya sama sekali tidak berkeinginan untuk mengetahui mengenai reruntuhan itu. Oleh itu, tidaklah benar untuk mengatakan bahwa monumen-monumen besar itu 'ditemukan' oleh para pejabat Eropa pada abad ke 19. Yang seharusnya disebut sebagai 'penemu' adalah tokoh seperti seorang petani di desa Sambisari di Jawa Tengah yang menemukan sebuah batu besar pada suatu hari di bulan Juli tahun 1966 sewaktu ia sedang bekerja di kebunnya. Ketika ia akan menyingkirkan batu itu, dilihatnya batu itu berukir dan terikat dengan batu-batu lain di dalam tanah. Penggalian selanjutnya menghasilkan penemuan Candi Sambisari yang berasal dari abad ke 9, yang telah terkubur debu letusan gunung berapi sejak kira-kira abad ke 15.

Meskipun penduduk desa sekitar monumen mengetahui mengenai keberadaan reruntuhan itu, namun penelitian, pengukuran dan pencatatan secara teratur mengenai banyak candi di Jawa baru benar-benar mulai pada masa pemerintahan Inggris di Jawa dari tahun 1811 hingga 1816. Pengadaan sumberdaya pemerintah untuk proyek penelitian ini berkat minat pribadi Thomas Stamford Raffles, Letnan Gubernur Jawa waktu itu, yang begitu giat meneliti segala aspek kebudayaan dan sejarah Jawa. Dengan arahan Raffles, para juru ukur dan juru gambar dikirim untuk meneliti, mencatat dan menggambarkan tempat-tempat peninggalan lama, sementara para cendekiawan Jawa yang berpengetahuan mengenai sejarah dan kesusasteraan Jawa diminta untuk membantu mengartikan prasasti. Dari periode singkat ini

tions. It is from this brief period in the early 19th century that the extensive collections of archaeological drawings of Indonesia in British collections now derive.

Indonesian archaeological drawings in British collections

There are nearly one thousand Indonesian archaeological drawings held in three major British collections, all situated in London: the Horsfield and MacKenzie collections in the British Library; the Raffles collection in the British Museum; and the Baker collection in the Royal Asiatic Society. These drawings depict Javanese antiquities covering a span of eight hundred years, from the earliest 7th-century temples on the Dieng plateau to the 15th-century remains of Pajajaran, Candi Sukuh and Candi Ceta, and the earliest Muslim relics in Java. Despite the varying provenances of these four collections of archaeological drawings, held in three separate institutions, they form an integrated whole which can really only be properly studied and evaluated with reference to one another.[2] The unifying factor is the patronage of Raffles, who commissioned MacKenzie, Baker and Horsfield to inspect, record and sketch the antiquities of Java. Many of the drawings thus produced eventually formed the basis of the plates and engravings in Raffles's monumental study, *The History of Java*.

The largest collection is that of the British Library, with over 540 archaeological drawings of Indonesia, nearly all of which are held in the department now known as the Oriental and India Office Collections. The majority are executed in pencil or ink and wash, while a few are watercolours. Many of the 240 archaeological drawings in the Horsfield collection[3] are by Dr Thomas Horsfield himself; others are by Dutch and Indonesian draughtsmen in his employ, while some drawings came to him from Dutch or British friends. Two sketches of antiquities from West Java were presented to Horsfield by the eminent Belgian artist A.A.J.Payen (1792–1853), who visited Indonesia from

berasallah koleksi besar gambar-gambar arkeologis Indonesia dalam lembaga-lembaga Inggris sekarang ini.

Gambar arkeologis Indonesia dalam koleksi Inggris

Di Inggris terdapat hampir seribu buah gambar arkeologis Indonesia yang disimpan di dalam tiga buah lembaga yang semuanya terletak di London. Koleksi Horsfield dan MacKenzie tersimpan di British Library, koleksi Raffles di British Museum dan koleksi Baker di Royal Asiatic Society. Gambar-gambar ini menampilkan peninggalan purbakala Jawa dalam kurun waktu 800 tahun: dari candi tertua di dataran tinggi Dieng dari abad ke 7, hingga reruntuhan Pajajaran, Candi Sukuh dan Candi Ceta dan peninggalan awal kedatangan Islam di Jawa dari abad ke 15. Meskipun keempat kelompok koleksi lukisan arkeologis ini berasal dari sumber yang berlainan, serta tersimpan di tiga institusi yang terpisah, lukisan tersebut membentuk suatu kesatuan yang hanya dapat benar-benar dimengerti dan dinilai dengan menghubungkan satu dengan yang lain.[2] Faktor pemersatunya adalah peranan Raffles yang meminta MacKenzie, Baker dan Horsfield untuk memeriksa, meneliti, mencatat dan menggambar peninggalan purbakala di Jawa. Banyak di antara lukisan yang dihasilkan akhirnya menjadi dasar gambar dan ukiran *engraving* dalam karya besar Raffles, *The History of Java*.

Koleksi lukisan terbanyak – sejumlah lebih dari 540 gambar – berada di British Library, dan hampir semuanya disimpan di bagian yang sekarang bernama Oriental and India Office Collections. Sebagian besar gambar menggunakan pensil atau tinta dengan sapuan kuas, sedangkan beberapa lukisan menggunakan cat air. Sementara itu, di koleksi Horsfield,[3] banyak di antara 240 gambar arkeologis adalah hasil karya Dr Thomas Horsfield sendiri; sedangkan yang lainnya adalah hasil karya juru gambar Belanda dan Indonesia yang bekerja untuknya serta lukisan yang dikirim kepadanya dari temannya orang Belanda atau Inggris. Terdapat juga dua sketsa benda pur-

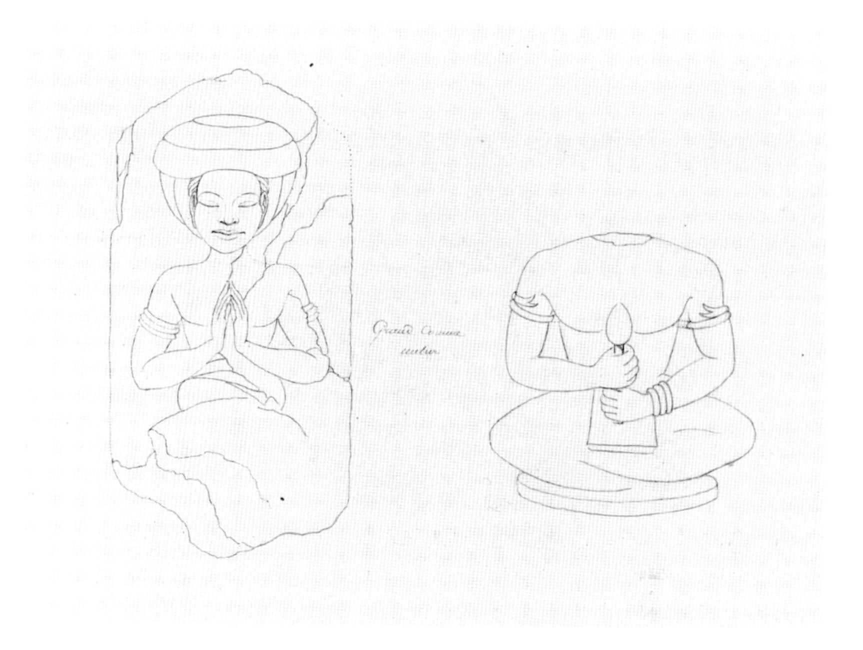

20 ARCA BATU DARI CIBODAS, JAWA BARAT

Stone statue from Cibodas, West Java, by A.A.J.Payen. Inscribed in ink: *Souvenir de A.Payen au docteur Horsfield*. Ink; 181 × 104 mm. Archer (1969:ii.450).
MSS.Eur.F.54, f.28

21 ARCA BATU DARI CIBODAS, JAWA BARAT

Two statues from Cibodas, West Java, by A.A.J.Payen. Inscribed in ink: *Grand comme natur*. Ink; 185 × 247 mm. Archer (1969:ii.450).
MSS.Eur.F.54, f.10

22 SEKELOMPOK ARCA BATU DARI CIBODAS, JAWA BARAT

Stone statues at Cibodas, West Java. Photograph by J. van Kinsbergen, 1872.
Photo 184 (2)

1817–26 (**20, 21**). The drawings in the Horsfield collection were executed in Java between 1800–18, and were presented by Horsfield to the India Office Library when he joined the staff in 1820.

While Lt.-Col. Colin MacKenzie did sketch some antiquities himself, most of the 270 archaeological drawings from Java in the MacKenzie collection[4] are the work of British draughtsmen who accompanied MacKenzie to Java from Madras from 1811–13, and local Dutch surveyors. Prominent among the British artists was John Newman, who was responsible for some of the finest drawings. MacKenzie valued Newman highly; on his early death from illness in Madras in 1818 MacKenzie lamented, 'I am sorry for poor Newman's fate, the only man I had who understood perspective in any degree' (Phillimore 1954:312). Related to the MacKenzie drawings are 17 pencil and ink and wash sketches of Javanese antiquities in the Thomas Hardwicke collection in the Department of Western Manuscripts.[5] These drawings appear to be copies made in India by Indian draughtsmen (some of the statues of Hindu deities now have pronouncedly Indian, rather than Javanese, features) from originals in the MacKenzie collection.

Also in the Oriental and India Office Collections of the British Library are a series of watercolours of temples in Java of a more recent date: three by the well-known naturalist Marianne North (1830–90), drawn in 1876 (**25**); seven by an anonymous artist in 1886 (**26**); and three views of Borobudur by Muriel Brown (1874–1943), painted in 1910 (**27**).

The Department of Oriental Antiquities of the British Museum holds six albums of drawings originally belonging to Raffles containing a total of 349[6] Indonesian archaeological drawings,[7] many by Captain Godfrey Phipps Baker (1786–1850), who was stationed in Java from 1811–16. Baker was also responsible for the collection of approximately 85 Indonesian archaeological drawings in the Royal Asiatic Society.[8]

bakala dari Jawa Barat yang merupakan hadiah dari pelukis Belgia terkenal A.A.J.Payen (1792–1853), yang mengunjungi Indonesia dari tahun 1817–26 (**20, 21**). Gambar yang ada pada koleksi Horsfield dibuat antara tahun 1800 dan 1818 dan diserahkan kepada India Office Library pada waktu Horsfield mulai bekerja di sana pada tahun 1820.

Meskipun Kolonel Colin MacKenzie juga membuat beberapa sketsa benda purbakala, banyak di antara 270 gambar dalam koleksi MacKenzie[4] adalah karya juru gambar Inggris yang menyertai MacKenzie dari Madras ke Jawa dari tahun 1811 hingga 1813, dan beberapa orang juru ukur Belanda di Jawa. Di antara juru gambar Inggris ini, yang menonjol adalah John Newman, yang bertanggung jawab atas beberapa gambar terbaik. MacKenzie sangat menghargai Newman. Kesan ini tampak pada saat kematian Newman di usia muda pada tahun 1818, ketika MacKenzie menyatakan 'Saya bersedih atas nasib yang menimpa Newman, satu-satunya orang saya yang benar-benar mengerti perspektif' (Phillimore 1954:312). Yang ada kaitan dengan lukisan koleksi MacKenzie adalah 17 sketsa peninggalan kuno dari Jawa yang terbuat dari pensil dan tinta dengan sapuan kuas yang ada dalam koleksi Thomas Hardwicke di Department of Western Manuscripts.[5] Gambar-gambar ini tampaknya merupakan salinan yang dibuat di India oleh juru gambar setempat dari gambar asli dalam koleksi MacKenzie (beberapa patung Hindu sekarang ini lebih menonjol warna Indianya daripada Jawanya).

Beberapa lukisan cat air yang menggambarkan candi-candi Jawa yang berusia lebih muda terdapat dalam Oriental and India Office Collections dalam British Library. Tiga dari lukisan cat air ini adalah karya pelukis lingkungan hidup Marianne North (1830–90) yang dibuat pada tahun 1876 (**25**); tujuh karya pelukis tak dikenal pada tahun 1886 (**26**) dan tiga pemandangan Borobudur hasil karya Muriel Brown (1874–1943) yang dibuat pada tahun 1910 (**27**).

Enam album gambar yang semula milik Raffles dan berisi 349[6] lukisan arkeologis Indonesia terdapat di Department of Oriental Antiquities di British Museum.[7] Banyak di antara gambar yang ada dalam album ini merupakan hasil karya Kapten Godfrey Phipps Baker (1786–1850), yang

The accuracy of the drawings

These archaeological drawings were executed before the invention of the camera, when drawing was the prime tool for the documentation of all forms of art and antiquities. How useful are they as research materials for scientific enquiry? A comparison between the drawings and photographs of the same images is quite revealing.

Of the six drawings of the famous statue of Durga from Singasari (**33**) in the British Library collection, none really captures the air of triumphant yet terrifying majesty of the original sculpture (photograph in Fontein 1990:159). When the pencil drawing of the famous scene in the blacksmith's forge from Candi Sukuh (**63**) is compared with a contemporary photograph of the relief (Fontein 1990:176), it appears that the fingers and other more vulnerable parts of the anatomy of the elephant-headed creature which are clearly visible on the drawing may only have broken off more recently. However, our confidence in the accuracy of the artist is shaken by the fact that in the drawing, the roof of the forge has six rows of tiles, whereas the original relief clearly only has five. Even the size and proportions of images can vary greatly between drawings, as in two very different depictions of the scale of Candi Jabung (**38** and PLATE 11).

Another factor to be borne in mind in evaluating the accuracy of the drawings is the intellectual climate in which they were made. In particular, it must be remembered that this was an age when Hindu art was unappreciated and little understood in the West. When MacKenzie visited Candi Sari – as yet unidentified as a Buddhist sanctuary – in 1812, he reveals more of his prejudices in his negative comments than in his positive appreciation: 'Simplicity, Chastity of Stile & an aversion to Superfluous Ornament distinguish the rites & Temples of this religion, whatever it was – Here we find no paltry niches for stinking lamps, no soot or vestiges of Oil burning & soiling the interior – no accumulation of doors, recesses, monstrous figures & obscene symbols – All is Unity, Proportion & Truth' (MSS.Eur.F.148/47, f.28r). In admiring the demeanour, stance and dress of the female statues in the *candi* (**30**),

ditempatkan di Jawa dari tahun 1811–16. Baker juga menghasilkan 85 gambar arkeologis Indonesia yang terdapat di Royal Asiatic Society.[8]

Ketepatan gambar arkeologis

Lukisan arkeologis ini dibuat sebelum ditemukannya kamera, ketika menggambar masih merupakan alat utama untuk merekam segala bentuk karya seni dan peninggalan kuno. Seberapakah tingkat kegunaan lukisan ini untuk penelitian ilmiah? Perbandingan antara lukisan ini dengan foto-foto benda yang sama mengungkap kesimpulan yang menarik.

Di antara enam gambar arca Durga dari Singasari (**33**) dalam koleksi British Library, tak satupun yang dapat menangkap sinar kejayaan serta keagungan yang juga menyiratkan kengerian yang terpancar dalam patung aslinya (foto dalam Fontein 1990:159). Jika sebuah lukisan tempat kerja seorang pandai besi dari Candi Sukuh (**63**) dibandingkan dengan foto relief yang terkenal itu (Fontein 1990:176), tampak bahwa beberapa jari serta bagian rentan lain pada badan makhluk berkepala gajah ini mungkin baru saja rusak. Akan tetapi, keyakinan kami akan ketepatan gambar ini goyah ketika dalam gambar ditunjukkan bahwa atap tempat pandai besi terdiri dari enam deret genteng, sedangkan relief aslinya hanya menunjukkan adanya lima deret genteng. Bahkan ukuran candi atau arca yang digambar bervariasi dalam lukisan-lukisan itu, seperti yang tampak dalam dua lukisan Candi Jabung, yang skalanya jauh berbeda (**38** dan PLATE 11).

Satu hal yang harus diingat pula dalam menilai ketepatan gambar ini adalah iklim intelektual pada saat gambar tersebut dibuat. Khususnya, harus diingat bahwa pada masa itu kesenian Hindu tidak dihargai dan hampir tidak dimengerti di Barat. Pada tahun 1812, MacKenzie mengunjungi Candi Sari, yang ketika itu belum dikenal sebagai tempat pemujaan Buddha. Di samping penilaian positifnya, prasangka buruknya jelas terungkap dalam komentar negatif: 'kesederhanaan, kesucian gaya, keengganan untuk menggunakan hiasan yang berlebihan melandasi cara pemujaan dan bentuk candi agama ini,

23 KINARA, SEBELAH DEPAN
Front view of *kinara* (half-man, half-bird) playing a *vina* (stick zither). Ink and wash; 315 × 190 mm. Archer (1969:ii.450).
MSS.Eur.F.54, f.34

24 ARCA KINARA DARI PERUNGGU, SEBELAH DEPAN
Front view of a *kinara* playing a *vina*, as drawn in **23**. This bronze statuette may be modelled on an older image which formed part of the suspension system for a hanging lamp, as depicted in Lerner & Kossak (1991:191-2).
British Museum 1859.12-28.76

yang saat ini masih belum diketahui namanya. Di sini kami tidak melihat adanya tempat-tempat lampu berbau busuk, tidak ada jelaga atau bekas tanda-tanda minyak terbakar yang mengotori bagian dalam candi – tidak banyak pintu, tidak ada tempat-tempat rahasia, tidak ada arca-arca mengerikan atau lambang-lambang cabul – semuanya adalah kesatuan, kesesuaian dan kebenaran' (MSS.Eur.F.148/47, f.28r). Saat mengagumi sikap berdiri dan pakaian arca perempuan dalam candi (**30**), MacKenzie merenung – seperti yang dikutip pada halaman 36, 'pakaiannya jelas bukan pakaian Yunani' (MSS.Eur.F.148/47, f.29r), yang mencerminkan sudut pandang cendekiawan Inggris pada awal abad 19 saat menilai kesenian Indonesia. Arca-arca yang paling mendekati bentuk patung klasik Yunani dan Romawi itulah yang sangat disukai bangsa Eropa. Dan rasa suka itu pulalah yang menyebabkan citarasa orang Inggris lebih dapat menerima penjelmaan dewa-dewi Hindu dalam arca Jawa yang tenang dan lemah lembut dibandingkan dengan arca India. Namun demikian, ketidaksukaan pada 'arca-arca yang mengerikan dan lambang-lambang cabul' tampaknya tidak mendorong mereka menghindari pencatatan arca pengawal candi yang mengerikan dan Dewi Durga yang penuh dendam ataupun lingga dan yoni yang merupakan lambang alat kelamin pria dan wanita. Meskipun demikian rasa enggan untuk menggambarkan dengan jelas bentuk-bentuk seksual terwujud dalam lukisan yang dibuat. Misalnya sketsa gapura sebelah barat Candi Sukuh tergambar dengan tepat,[9] tetapi dalam sketsa skala besar kedua relief yang bersebelahan, kedua arca pria telanjang telah ditutup cawat.[10]

Jadi jelaslah bahwa gambar-gambar arkeologis tidak senantiasa tepat, baik secara sengaja atau tidak. Dan oleh karenanya, nilai dokumentasi lukisan ini hampir selalu kurang dibandingkan dengan foto, bila ada.[11] Lalu, dimana nilai lukisan ini?

Pentingnya gambar arkeologis

Satu aspek nilai gambar arkeologis ini adalah sebagai karya seni. Meskipun banyak di antara pelukisnya sebenarnya terlatih sebagai juru ukur dan juru

MacKenzie mused, 'the habits are certainly not Grecian' (MSS.Eur.F.148/47, f.29r), reflecting the standpoint from which British scholars of the early 19th century judged Indonesian art. It was those statues which best approached the classical ideals of ancient Greek and Roman sculpture that most pleased the European eye; and it was precisely this preference that made the gentle and mellow Javanese manifestations of Hindu deities more palatable to British tastes than Indian versions. To be fair, the distaste for 'monstrous figures & obscene symbols' does not appear to have led to an avoidance of the recording of fierce-looking temple guardians and vengeant Durgas, or lingas and yonis. Yet an aversion to sexually explicit images was sometimes materially reflected in the drawings: while the west gateway of Candi Sukuh is accurately recorded in a sketch,[9] in a close-up of the two abutting reliefs, the naked male figures have been provided with loincloths.[10]

Thus we certainly find that archaeological drawings cannot always be relied upon for representational accuracy in matters of proportion or even actual detail, whether by accident or by design, and as such, their documentary value is nearly always superseded by that of photographs when available.[11] Where, then, does the value of these drawings lie?

The importance of the archaeological drawings

One measure of the value of these archaeological drawings is as works of art. Although many of the artists were essentially trained as military surveyors and draughtsmen, some, like John Newman, showed a remarkable skill. While MacKenzie's comment on the difficulty of obtaining draughtsmen with a true understanding of perspective is indeed borne out by many of the sketches, at the same time the bold and impressive two-dimensional rendering in ink and wash of tumble-down structures imparts a strangely modern, almost cubist, feel to some of the drawings (**16**). Of the artists who worked in pencil, Horsfield was probably the most accomplished, and it is here that the

gambar militer, beberapa di antaranya, seperti John Newman, menunjukkan ketrampilan yang sangat menonjol. Pendapat MacKenzie mengenai sulitnya mendapatkan juru gambar yang benar-benar mengerti tentang perspektif memang dibenarkan oleh banyak di antara gambar arkeologis ini. Namun pada saat yang sama, beberapa di antara lukisan yang menggunakan tinta dan sapuan kuas untuk menggambarkan reruntuhan candi membawa nada citarasa modern hampir seperti aliran kubisme (**16**). Di antara kelompok pelukis yang menggunakan pensil, barangkali Horsfieldlah yang paling cakap. Di sinilah kelebihan pelukis seringkali dirasakan dibandingkan dengan juru fotografi, karena daya cipta sang seniman mempunyai kekuatan untuk membawa suasana keagungan yang telah lama hilang dan kehancuran masa kini yang terpancar dari tempat-tempat peninggalan purbakala. Bila sketsa tinta benda-benda purbakala dari Jawa Barat hasil karya Payen dibandingkan dengan foto arca yang sama yang dibuat enampuluh tahun kemudian (**21**), maka jelaslah sekilas senyum seperti senyum Mona Lisa pada arca wanita sebetulnya dibuat oleh tangan pelukis ini. Tetapi justru daya kreativitas seniman inilah yang telah berhasil mengungkapkan intisari suasana kegaiban tempat-tempat kuno ini.

Aspek penting yang lain dalam gambar-gambar yang telah berumur hampir 200 tahun ini adalah nilai sejarahnya. Sebagian besar lukisan ini merupakan gambaran pertama beberapa tempat peninggalan lama yang terpenting di Indonesia, dan karenanya lukisan ini menjadi dokumen sejarah yang sangat penting. Meskipun demikian, hal yang terpenting barangkali adalah bahwa gambar ini merupakan sumber arkeologis yang sangat bernilai yang belum banyak diselidiki. Banyak di antara gambar ini merupakan sketsa yang dibuat langsung di tempat peninggalan kuno yang baru diteliti setengah abad kemudian. Ketika Kapten Baker mengunjungi Candi Sewu pada tahun 1815, ia menyimpulkan bahwa telah terjadi banyak kerusakan hanya dalam waktu delapan tahun sejak Candi Sewu dibersihkan oleh juru ukur Belanda (Raffles 1982:ii.17). Dengan demikian, sangatlah mungkin terjadi kerusakan lagi sejak waktu pembuatan gambar arkeologis ini pada dekade kedua abad ke 19. Struktur bangunan candi semakin runtuh, arca-arca mungkin telah rusak

artist's edge over the photographer is felt in the ability to evoke an air of long-lost grandeur and present-day desolation and abandon. When the ink sketches of West Javanese antiquities by Payen are compared with photographs of the same statues taken sixty years later (**21**), the hint of a Mona Lisa-like smile on the female image is seen to have been enhanced by his artist's hand, yet it is precisely this creative embellishment that succeeds in conveying the mysterious essence of these ancient sites.

Another important aspect of these drawings – themselves now nearly two hundred years old – is their historical value. In many cases, these drawings represent the earliest known visual records of some of the most significant archaeological sites in Indonesia, and as such, are vital historical documents in their own right.

However, perhaps the greatest significance of these drawings is their as yet untapped value as an archaeological resource. Many of the drawings are on-the-spot sketches of sites which were not subsequently studied for another century or more. When Captain Baker visited Candi Sewu in 1815, he found that some of the temples had already deteriorated since the site was

25 CANDI-CANDI DIENG

Dienge, Java. August 1876, by Marianne North. Watercolour; 290 × 508 mm. Kattenhorn (1994:239).
WD 3216

26 DI DALAM CANDI MENDUT

Interior of Candi Mendut. Watercolour; 410 × 300 mm. Archer (1969:i.90).
WD 1374

27 PEMANDANGAN DARI BOROBUDUR

View from Borobudur, by Muriel Percy Brown, 1910. Watercolour; 346 × 292 mm. Kattenhorn (1994:64).
WD 4145 (35)

cleared by Dutch surveyors eight years earlier (Raffles 1982:ii.17). It is thus almost certain that since these archaeological sites were surveyed and sketched, many temple structures will have undergone further decay, statues may have been damaged or removed, and blocks of stone taken for building materials. With respect to sculpture in stone and bronze, while some of the images portrayed can be positively identified in museum collections today (**23, 24**), in other cases the drawings may constitute a unique record of images whose location cannot now be determined.

These archaeological drawings thus constitute a truly valuable visual archive – predating any photographic record by at least half a century – which has never been systematically studied. While *The History of Java* does contain a substantial section on antiquities in the second volume, the actual text is descriptive rather than analytical. Raffles saw as his primary task the gathering of information which would enable the progress of further research, as he wrote in a letter to Marsden on 18 September 1815, 'My object, as you know, is rather to collect the raw materials, than to establish a system of my own' (Lady Raffles 1991:262), and this he did in abundance. It is hoped that the presentation to the National Library of Indonesia of a complete set of facsimile reproductions of the more than five hundred archaeological drawings in the Horsfield and MacKenzie collections in British Library will contribute to studies which may yet help to enhance our understanding of the creative genius which flourished in Indonesia many centuries ago, and its legacy of splendour in stone.

atau hilang, dan batu-batuan mungkin telah diambil penduduk sekitar menjadi bahan bangunan. Sedangkan beberapa arca batu dan perunggu dalam gambar-gambar ini dapat dikenal pasti di koleksi museum sekarang (**23, 24**), mungkin ada pula arca lain yang lokasinya tidak dapat ditentukan lagi, sehingga gambarnya merupakan catatan dokumentasi yang unik.

Oleh karena itu, gambar-gambar arkeologis ini yang belum pernah dipelajari secara sistematis merupakan arsip visual yang sangat berharga yang dihimpun setengah abad sebelum adanya fotografi. Meskipun buku *The History of Java* juga mencantumkan satu bagian yang sangat penting mengenai peninggalan purbakala dalam jilid keduanya, teks itu sesungguhnya deskriptif dan bukan analitis. Menurut Raffles sendiri, seperti yang disampaikannya kepada Marsden dalam suratnya pada tanggal 18 September 1815, tugas utamanya adalah pengumpulan data yang akan memungkinkan dilakukannya penelitian lebih lanjut. Ia menyatakan bahwa 'Tujuan saya, seperti yang telah kau ketahui, adalah lebih pada mengumpulkan bahan mentah daripada menerapkan sistemku sendiri' (Lady Raffles 1991:262). Maka oleh itu, dihadiahkannya reproduksi seluruh lukisan arkeologis yang ada dalam koleksi Horsfield dan MacKenzie di British Library, yang berjumlah lebih dari lima ratus buah gambar, diharapkan memberi sumbangan kepada penelitian yang mudah-mudahan akan membawa kita kepada pengertian yang lebih mendalam mengenai daya cipta yang luar biasa hebat yang berkembang di Indonesia ratusan tahun yang lalu, yang menghasilkan sekian banyak monumen batu yang sangat indah.

PLATE 1

30

Borobudur, Central Java

By Dr Thomas Horsfield, *ca.*1814. Pencil; 318 × 490 mm. Archer (1969:ii.455), Archer (1958:466-67).
WD 957, f.6 (96)

Raffles was one of the first European officials to appreciate the importance of Borobudur. In 1814, on hearing rumours of the existence of such a monument, he immediately sent a Dutch surveyor, Major H.C.Cornelius, to investigate the site. Raffles himself visited Borobudur in 1815, and his work *The History of Java* (1817) contains the first published description of the monument: 'In the district of Boro, in the province of Kedu, and near to the confluence of the rivers Elo and Praga, crowning a small hill, stands the temple of Boro Bodo . . . It is a square stone building consisting of seven ranges of walls, each range decreasing as you ascend, till the building terminates in a kind of dome' (Raffles 1982:ii.29).

Today, Borobudur is one of the most famous Buddhist sites in the world, and it is hard to conceive that just two centuries ago, Western knowledge of Eastern religions was so deficient that even enthusiastic scholars such as Raffles were unable to identify immediately the religious affiliation of the monument. Of the numerous Buddhist statues and sculptures, Raffles could only offer a bare description: 'In the exterior of these parapets, at equal distances, are niches, each containing a naked figure sitting cross-legged . . . The bas-reliefs represent a variety of scenes, apparently mythological, and executed with considerable taste and skill' (Raffles 1982:ii.29).

Borobudur, Jawa Tengah

Raffles adalah pejabat Eropa pertama yang menyadari pentingnya Borobudur. Pada tahun 1814, waktu ia mendengar kabar mengenai adanya monumen tersebut, dia segera mengirimkan seorang juru ukur Belanda, Mayor H.C.Cornelius untuk menyelidiki tempat tersebut. Raffles sendiri baru mengunjungi Borobudur pada tahun 1815. Bukunya *The History of Java* (1817) berisi penggambaran Borobudur yang pertama diterbitkan: 'Di kabupaten Boro, propinsi Kedu, di dekat pertemuan dua aliran sungai, yaitu sungai Elo dan sungai Praga, menutupi sebuah bukit kecil, berdirilah candi Boro Bodo. . . . Bangunan batu berbentuk bujur sangkar ini terdiri dari tujuh tingkat dinding. Setiap tingkat bangunan makin mengecil hingga di puncak bangunan yang berbentuk seperti kubah' (Raffles 1982:ii.29).

Dewasa ini, Borobudur adalah antara tempat pemujaan Buddha yang terkenal di dunia. Sulit untuk membayangkan bahwa dua abad yang lalu pengetahuan orang Barat mengenai agama-agama dari Timur sangatlah terbatas hingga seorang ilmuwan yang sangat antusias seperti Raffles pun tidak segera dapat mengenal pasti agama monumen tersebut. Mengenai arca dan seni pahat Buddha yang ada di Borobudur, Raffles hanya dapat menggambarkan sebagai berikut: 'Pada bagian luar dinding yang rendah ini, pada jarak yang sama terdapat relung-relung yang masing-masing berisi arca orang telanjang duduk bersila . . . Relief di dindingnya menggambarkan berbagai kejadian, yang tampaknya merupakan kisah mitologi yang dibuat dengan citarasa dan ketrampilan yang baik' (Raffles 1982:ii.29).

28 HIASAN DINDING BOROBUDUR
Carved frieze from first gallery at Borobudur, by Dr Thomas Horsfield, *ca.*1814. Pencil; 222 × 296 mm. Archer (1969:ii.462).
WD 958, f.31 (277) (detail)

The cleaning of Candi Sewu, Prambanan, Central Java

By H.C.Cornelius, 1807. Inscribed in ink: *View of the Ruins of a Bramin Temple at Brambanang as formd in the Jaar 1807.* Watercolour; 350 × 470 mm. Archer (1969:ii.455, Plate 91).
WD 957, f.1 (82)

Candi Sewu – meaning 'Thousand Temples' – is a Buddhist temple complex constructed in the late 8th century, and consists of a central temple originally surrounded by 240 smaller shrines.

When Raffles addressed the Batavian Society of Arts and Sciences on 11 August 1815, he included an account of Candi Sewu by Captain Baker, laced with superlatives: 'Never have I met with such stupendous, laborious and fiñished specimens of human labour, and of the polished refined taste of ages long since forgot, and crowded together in so small a compass as characterize and are manifested in this little spot; and though I doubt not there are some remains of antiquity in other parts of the globe more worthy the eye of the traveller, or the pencil of the artist, yet Chandi Sewo must ever rank with the foremost in the attractions of curiosity or antiquarian research' (Lady Raffles 1991:159).

In 1807, Major Cornelius had visited the Prambanan plain, and the picture here depicts the cleaning of the ruins of the central temple of Candi Sewu under Cornelius's direction.[12] The frenzy of activity in this picture is in striking contrast to the air of 'ages long since forgot' which permeates Horsfield's pencil drawing of the Candi Sewu site.

Pembersihan Candi Sewu, Prambanan, Jawa Tengah

Candi Sewu yang berarti 'Seribu Candi' adalah kompleks candi Buddha yang dibangun pada akhir abad ke 8 yang terdiri dari candi pusat dikelilingi 240 tempat-tempat pemujaan kecil.

Ketika Raffles memberikan sambutannya di depan Perkumpulan Seni dan Sains Batavia pada tangal 11 Agustus 1815, dia juga menyampaikan laporan mengenai Candi Sewu oleh Kapten Baker yang penuh kata-kata pujian: 'Belum pernah saya melihat sesuatu yang begitu menakjubkan, yaitu suatu karya hasil tangan manusia yang sangat memerlukan ketelitian dan kerajinan, yang mengungkapkan citarasa yang indah dari masa yang telah lama terlupakan, bersatu dalam satu tempat yang sedemikian kecil. Meskipun saya tidak ragu bahwa masih ada peninggalan purbakala di muka bumi ini yang lebih menarik mata seorang pengelana, atau menarik pelukis untuk melukiskannya, saya yakin bahwa Candi Sewu pasti sejajar dengan segala yang paling menarik perhatian para peneliti peninggalan kuno' (Lady Raffles 1991:159).

Pada tahun 1807, Mayor Cornelius mengunjungi dataran Prambanan, dan gambar ini menunjukkan pembersihan reruntuhan candi induk kompleks Candi Sewu, yang dilakukan atas perintah Cornelius.[12] Kesibukan yang terekam dalam gambar ini sungguh bertentangan dengan suasana 'masa yang telah lama terlupakan' yang tersirat dalam lukisan pensil Candi Sewu karya Horsfield.

29 CANDI SEWU
Ruins at Candi Sewu, by Dr Thomas Horsfield. Pencil; 233 × 338 mm. Archer (1969:ii.457).
WD 957, f.39 (131) (detail)

PLATE 2

A ruin in the forest

Peninggalan lama di dalam hutan

Watercolour; 236 × 331 mm. Archer (1969:ii.452).
WD 956, f.9 (11)

Candi Sajiwan, Central Java

Adapted from an original watercolour by John Newman.[13] Inscribed in ink: *View of the Ruinous Temple South of Prambana. Copy from J. Newman.* Watercolour; 250 × 395 mm. Bastin (1969:20).
MSS.Eur.F.148/47, f.44

Candi Sajiwan, situated on the Prambanan plain, was probably constructed after 790 on a cruciform plan containing a square cella (Dumarçay 1986:25). When MacKenzie visited the site in 1812, almost nothing of its original shape could be discerned due to an enormous *waringin* tree growing through the middle of the temple: 'On viewing this Edifice from without, no just idea of its original shape can be formed, from the effect of the *Banian* which has sapped its strength & working thro' every crevice overshades it on all sides; & from the dilapidation of the Original Coating; nothing is seen at first but a confused hill of stones covered with bushes forming an awkward Pyramidal heap' (MSS.Eur.F.148/47, f.24r). Although the tree has now been removed, the temple is still in a ruined state today.

Candi Sajiwan, Jawa Tengah

Candi Sajiwan, yang terletak di dataran Prambanan, mungkin dibangun setelah tahun 790 dengan bentuk salib dengan sebuah kamar bujur sangkar di dalamnya (Dumarçay 1986:25). Ketika MacKenzie mengunjungi candi ini pada tahun 1812, hampir tiada sedikitpun tersisa dari bentuk aslinya karena tumbuhnya sebatang pohon beringin besar di tengah candi tersebut. 'Pada saat kami melihat candi ini dari luar, kami tidak dapat membayangkan bagaimana bentuk asli bangunan tersebut. Ini disebabkan oleh sebatang pohon beringin yang telah menghisap segala kekuatannya dan menutupi bangunan ini di semua sisinya, dan karena kerusakan lapisan asli gedungnya. Pertama kali kami melihatnya, tiada satupun yang tampak kecuali seonggok batu tertutup semak-semak yang membentuk piramid' (MSS.Eur.F.148/47, f.24r). Meskipun pohon beringin kini telah dipindahkan, Candi Sajiwan masih dalam keadaan runtuh.

Candi Sari, Central Java

By John Newman, 1812. Inscribed in ink: *Front View of An Ancient Edifice at Tjandee Saaree near Prambana. January 21st 1812. John Newman delt.* Watercolour; 250 × 395 mm. Bastin (1969:20).
MSS.Eur.F.148/47, f.45

Candi Sari was constructed as a Buddhist foundation in the 9th century. Architecturally, it can be described as a stone version of a type of older wooden sanctuary depicted in reliefs on Borobudur (Dumarçay 1986:34,49). The elegant lines of this temple greatly impressed early British visitors. MacKenzie, who visited Candi Sari in 1812, was deeply struck by the beauty of the female statues (**30**): 'Of the Figures that ornament it in general it may be observed that the Face, Shape & Air of the Females is singularly striking, delicate & beautiful . . . the whole is most beautiful & expressive; an inimitable softness in the lines of the countenance, & the half bending inclination of the head & the mild modest countenance inclining with a bashful timidity forward while the body & limbs are advancing in movement has a fine effect . . . The manner in which the Drapery is wrought so lightly that the outline of the limbs is fully delineated exhibits the great skill of the Artists' (MSS.Eur.F.148/47, f.29r).

Candi Sari, Jawa Tengah

Candi Sari dibangun sebagai candi Buddha pada abad ke 9. Dilihat dari segi arsitekturnya, candi ini dapat digambarkan sebagai candi batu berdasarkan bentuk tempat pemujaan lama yang terbuat dari kayu seperti yang tergambar dalam relief di Candi Borobudur (Dumarçay 1986:34,49).

Garis-garis indah candi ini sangat mempesona pengunjung Inggris pada awal abad ke 19. MacKenzie, yang mengunjungi Candi Sari pada tahun 1812, sangat terpesona melihat kecantikan arca perempuan (**30**). 'Di antara arca-arca yang menghiasi candi itu, dapat dikatakan bahwa wajah, bentuk dan gaya arca perempuan di situ sangat mempesona, halus dan indah . . . keseluruhannya sangatlah indah dan ekspresif; kelembutan garis-garis wajahnya dan kepala yang sedikit menunduk dengan wajah yang agak malu-malu memandang ke depan serta tubuh dan pinggul bergerak maju menghasilkan efek yang indah . . . Cara selendang disampirkan sedemikian rupa pada bagian luar pinggul menunjukkan kemahiran sang artis' (MSS.Eur.F.148/47, f.29r).

30 DUA ARCA RELIEF DARI CANDI SARI

Two panels from Candi Sari, by Dr Thomas Horsfield. Pencil; 318 × 390 mm. Archer (1969:ii.455).
WD 958, f.32v (280)

Inscription of Airlangga, 1041

By John Newman, 1812. Inscribed in ink: *Ancient Monument & Inscription from Malang with the Costume of Muntrees & other Official Servants. At Bangil. 2nd April 1812.* Watercolour; 250 × 422 mm (image size 205 × 332 mm). Archer (1969:ii.546), Bastin (1953:Plate 2), de Casparis (1975:39-40).
WD 953, f.83 (94)

The precise site of origin of this inscription of Airlangga is unknown, but it almost certainly belongs to the area south-west of Surabaya, from the slopes of Gunung Penanggungan or Gunung Pucangan (de Casparis 1975:39). In 1813 it was brought from Malang to Surabaya, and sent by MacKenzie to Lord Minto, Governor-General of Bengal, with a letter (see Appendix III) and a copy of the drawing reproduced here. Today the stone – one of the most important Old Javanese inscriptions known[14] – is housed in the Indian Museum in Calcutta.

The Calcutta Stone, dated 1041, is 'one of the rare inscriptions that deal with a coherent sequence of historical events' (Fontein 1990:44). It concerns the reign of Airlangga (born *ca.*1001, reigned *ca.*1019–42). The inscription describes how Medang, the capital of the king of east Java, was destroyed in a calamity in 1016, and how Airlangga, a royal relative who happened to be visiting from Bali at the time, escaped by going into hiding. He was subsequently offered the throne and re-established royal authority over parts of Java. On Airlangga's death in 1049, his ashes were interred at the Baths of Belahan, near Gempol in East Java.

Prasasti Airlangga, 1041

Tempat asal prasasti Airlangga ini tidak diketahui dengan tepat, tetapi mungkin sekali berasal dari daerah barat daya Surabaya, dari lereng Gunung Penanggungan atau Gunung Pucangan (de Casparis 1975:39). Pada tahun 1813, prasasti ini dibawa dari Malang ke Surabaya, dan oleh MacKenzie dikirim ke Lord Minto, Gubernur Jenderal Bengal, bersama sepucuk surat (lihat Lampiran III) dan gambar. Batu prasasti ini – yang merupakan salah satu prasasti Jawa Kuno terpenting yang dikenal orang – sekarang disimpan di Indian Museum di Calcutta.[14]

Batu Calcutta ini, yang dibuat pada tahun 1041, adalah 'salah satu prasasti yang jarang ditemui yang mengungkapkan urutan jelas peristiwa-peristiwa sejarah' (Fontein 1990:44). Batu prasasti itu menceritakan masa pemerintahan Airlangga (lahir sekitar tahun 1001, bertahta sekitar tahun 1019–42). Diceritakan juga bagaimana Medang, ibukota kerajaan Jawa Timur, hancur dalam sebuah bencana atau *pralaya* pada tahun 1016, dan bagaimana Airlangga, keluarga kerajaan yang sedang berkunjung dari Bali, berhasil melarikan diri dan bersembunyi. Kemudian Airlangga dinobatkan menjadi raja dan membangun kembali kekuasaan kerajaan di beberapa bagian Jawa. Setelah kematian Airlangga pada tahun 1049, abu jenazahnya dikuburkan di pemandian Belahan, dekat Gempol, Jawa Timur.

A ruined bathing place, East Java

By Dr Thomas Horsfield, *ca.*1815. Pencil; 277 × 361 mm. Archer (1969:ii.457).
WD 957, f.40 (132)

During the 10th and 11th centuries, as the centre of activity in ancient Javanese art shifted from Central to East Java, bathing places were constructed. The unidentified bathing place in PLATE 7 exudes a quiet air of antiquity. Where once kings and nymphs may have immersed themselves, now turtles dart about, yet still presided over by an image of Ganesha.

Another drawing (**31**) can be identified as the bathing place at Brebeg, south of Nganjuk on the slopes of Gunung Wilis, which Horsfield visited in 1815 and described to Raffles: 'The newly-appointed *Tumunggung*, in clearing and levelling the ground for a dwelling and for a new capital, on the site of the village *Brebeg*, discovered, by following the indication of water oozing from the surface, in a slight concavity covered by wild vegetation, the remains of a bath, constructed with neatness, and not without taste and art. The principal excavation, which appears to have been constructed as a bath, is oblong, and about ten feet in length. Six small outlets or fountains pour the water into it . . . The fountains discharging the water are covered with sculpture in relief, tolerably executed: one of these is a female figure pouring small streams from the breasts ' (Raffles 1982:ii.34).

Pemandian lama, Jawa Timur

Pada abad ke 10 dan ke 11, sewaktu pusat kegiatan kesenian Jawa kuno beralih dari Jawa Tengah ke Jawa Timur, dibangunlah tempat-tempat pemandian. Tidak mudah untuk menentukan cara kegunaan pemandian ini. Meskipun demikian, sifat air yang memberi kehidupan dianggap diperkuat jika air ini pertama melalui serangkaian relief dan pancuran air dalam bentuk para dewa dan leluhur yang dihormati, sebelum air itu turun untuk mengairi tanah persawahan. Tempat pemandian tak dikenal pada PLATE 7 memancarkan ketenangan zaman kuno di mana pada suatu saat dahulu para raja dan bidadari pernah menyelam. Sekarang ini, kura-kura berlalu lalang, meskipun masih dibawah bayangan patung Ganesha.

Gambar yang lain (**31**) dapat dikenal pasti sebagai tempat pemandian di Brebeg, di sebelah selatan Nganjuk di lereng Gunung Wilis, yang dikunjungi oleh Horsfield pada tahun 1815. Kepada Raffles Horsfield menggambarkan tempat itu sebagai berikut: 'Tumenggung yang baru dilantik, ketika membersihkan dan meratakan tanah di desa Brebeg untuk ibukota yang baru, dengan mengikuti bekas-bekas air yang merembes ke permukaan, dalam sebuah cekungan yang tertutup tanaman liar, ia menemukan reruntuhan suatu pemandian, yang dibangun dengan rapi penuh citarasa seni. Galian utamanya, yang tampaknya dibangun sebagai pemandian, bentuknya persegi panjang dengan panjang kurang lebih 10 kaki [3 meter]. Enam pancuran mengucurkan air ke dalamnya . . . Pancuran yang memancarkan air ini ditutupi ukiran, salah satunya adalah wujud seorang perempuan mengucurkan air dari buah dadanya . . . Tumenggung ini telah mengumpulkan beberapa arca dan peninggalan lama yang lain yang tersebar di sekitar daerah itu, dan menempatkannya dekat pemandian tersebut' (Raffles 1982:ii.34).

31 PEMANDIAN DI BREBEG, JAWA TIMUR
Bathing place at Brebeg, East Java, by Dr Thomas Horsfield, *ca.*1815. Pencil; 263 × 432 mm. Archer (1969:ii.457).
WD 957, f.38 (130)

PLATE 7

Candi Singasari, East Java

Probably by a Dutch draughtsman working for MacKenzie, *ca.*1812. Watercolour; 328 × 487 mm. Archer (1969:ii.503).
WD 910 (23)

The Singasari dynasty flourished in East Java from 1222–93, and Candi Singasari was built in the capital shortly before its partial destruction in 1292. The temple is built on a cruciform plan, and is unusual in that instead of a single cella it has five, including a central one. The most remarkable feature of Candi Singasari is not the building itself, which in fact is partly unfinished, but the statuary, including some of the finest Javanese sculpture known. Of particular interest are a pair of colossal guardian statues (**32**), each 12 feet high and adorned with snakes and skulls, situated in the *alun-alun* east of the Candi. Some of the finest statues, including the image of Durga (**33**), were removed from Candi Singasari in 1804 by Nicolaus Engelhard. They were placed in the garden of Engelhard's residence as Governor of Semarang, where they were sketched by John Newman for MacKenzie.

Candi Singasari, Jawa Timur

Dinasti Singasari berkembang di Jawa Timur dari tahun 1222–93, dan Candi Singasari dibangun di ibukota tidak lama sebelum kerusakan kota itu pada tahun 1292. Candi ini dibangun dengan bentuk salib, dan istimewa karena candi ini bukan hanya memiliki satu *cella* sebagaimana biasa, tetapi lima *cella* termasuk satu yang menjadi pusat. Hal yang menarik dari Candi Singasari ini tidak terletak pada bangunannya sendiri, yang memang belum seluruhnya selesai dibangun, tetapi lebih pada arca-arcanya, termasuk arca Jawa yang terhalus yang dikenal orang. Antara yang paling menarik adalah sepasang arca pengawal (**32**) yang masing-masing tingginya 12 kaki [3,6 meter] dan dihiasi dengan ular dan tengkorak serta terletak di alun-alun timur candi. Beberapa di antara arca yang halus ini, termasuk arca Durga (**33**) diambil dari Candi Singasari pada tahun 1804 oleh Nicolaus Engelhard, dan diletakkan di taman kediamannya sebagai Gubernur Semarang. Di sinilah sketsa patung-patung ini dibuat oleh John Newman untuk MacKenzie.

32 ARCA PENGAWAL DARI CANDI SINGASARI

Front and back views of a temple guardian, Candi Singasari, by a draughtsman working for MacKenzie, *ca.*1812. Inscribed in ink: *Image found at Singo Sahri in the district of Malang*. Ink and wash on paper; 230 × 375 mm. Archer (1969:ii.544).
WD 953, f.49 (57)

PLATE 8

33 DURGA

By John Newman, 5 December 1812. Inscribed in ink: *Booka Lora Jungrang. Samarang. Decr 5th 1812. J. Newman del.* Ink and wash; 440 × 287 mm. Archer (1969:ii.540).
WD 953, f.18 (17)

34 BHAIRAVA

Stone image of Bhairava from Singasari. Ink & wash; 290 × 230 mm. Archer (1969:ii.459).
WD 958, f.12 (210)

35 CANDI SINGASARI DARI SEBELAH BARAT

West front of Candi Singasari, by a draughtsman working for Horsfield, *ca.*1812. Ink and wash; 293 × 367 mm. Archer (1969:ii.456).
WD 957, f.21 (111)

36 PEMANDANGAN LAIN CANDI SINGASARI

Another view of Candi Singasari, from Scheltema (1921: plate xvi).

PLATE 9

Ruins of a temple in the vicinity of Singasari

Reruntuhan candi dekat Singasari

Probably by a Dutch draughtsman working for MacKenzie, *ca.*1812. Inscribed in ink: *Singo Saarie near Melong* [sic; this is not Candi Singasari]. Watercolour; 329 × 495 mm. Archer (1969:ii.502).
WD 908 (21)

PLATE 10

Unidentified brick temple, East Java

Probably by a Dutch draughtsman working for MacKenzie, *ca.*1812. Watercolour; 263 × 400 mm (image size 221 × 363 mm). Archer (1969:ii.503).
WD 912 (25)

By comparison with the generally solid, squat, impression of Central Javanese *candi*, where the emphasis is on horizontal lines, East Javanese monuments give an impression of slender verticality (Fontein et al 1971:13). This unidentified brick temple, with its tall layered roof, set in a fenced compound, thus appears to date from the East Javanese period of ancient Javanese art.

Candi batu bata, Jawa Timur

Dibandingkan dengan candi di Jawa Tengah yang umumnya kokoh, lebar dan pendek dengan penekanan pada garis-garis horizontal, monumen dari Jawa Timur memberikan kesan ramping ke atas (Fontein et al 1971:13). Candi tak dikenal yang terbuat dari batu bata ini, dengan atap yang tinggi berlapis-lapis, terletak di dalam halaman yang berpagar, rupanya dibina pada periode Jawa Timur dalam kesenian Jawa kuno.

37 PEMANDANGAN SEBELAH SELATAN CANDI
Unfinished drawing of a brick temple in East Java, *ca.*1812. Inscribed in pencil: *South View*. Pencil and watercolour; 251 × 310 mm. Archer (1969:ii.505).
WD 929 (42)

PLATE 11

Candi Jabung, East Java

Probably by a Dutch draughtsman working for MacKenzie, 1812. Inscribed in pencil and ink: *Ancient Building at Djabong near Probolingo. March. 1812.* Watercolour; 327 × 488 mm. Archer (1969:ii.502).
WD 909 (22)

Candi Jabung, situated in the vicinity of Probolinggo, is a brick *candi* completed in 1354 with an unusual structure: from a quadrangular base rises a cylindrical body containing a square cella. The unique form of Candi Jabung and its rich external decorative elements led one scholar to write, 'This temple may well be regarded as the finest example of East Javanese art' (Coomaraswamy 1985:208).

The pencil drawing by Horsfield manages to convey something of the sense of awe with which early European explorers must have approached the great ruined *candi*, set against the majestic backdrop of the mountains of Java. Horsfield has also captured accurately the impressive size of Candi Jabung, which appears somewhat stunted in the watercolour which is probably the work of a Dutch draughtsman, perhaps Wardenaar.

Candi Jabung, Jawa Timur

Candi Jabung, terletak di sekitar Probolinggo, adalah candi batu bata yang pembangunannya selesai pada tahun 1354 dengan bentuk yang agak luar biasa: dari dasar yang bujur sangkar muncul ke atas bangunan bulat yang memiliki sebuah *cella* bujur sangkar. Bentuk Candi Jabung yang unik serta hiasan bagian luar yang kaya mendorong seorang sarjana untuk menulis, 'Candi ini dapat dianggap sebagai contoh terbaik seni Jawa Timur' (Coomaraswamy 1985:208).

Lukisan pensil karya Horsfield berhasil menyampaikan suasana menakjubkan yang mungkin dialami oleh para peneliti Eropa saat itu ketika mereka mendekati reruntuhan candi-candi yang terletak dengan latar belakang gunung-gunung Jawa yang agung. Horsfield juga berhasil menangkap dengan tepat ukuran Candi Jabung yang besar itu, yang tampaknya lebih kecil dalam lukisan cat air yang mungkin dilakukan oleh seorang juru gambar Belanda, yaitu Wardenaar.

38 DUA ORANG EROPA DI CANDI JABUNG
Two Europeans exploring Candi Jabung, by Dr Thomas Horsfield. Pencil; 291 × 462 mm. Archer (1969:ii.453).
WD 956, f.21 (24) (detail)

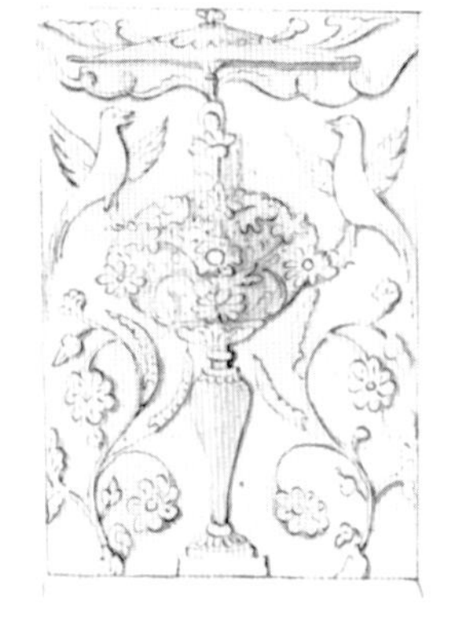

South view of Candi Gunung Gansir, East Java

By John Newman. Inscribed in ink: *South View of Durrumoc. 3 Poles West of Bangil. 4 April 1812.* Watercolour; 395 × 252 mm. Archer (1969:ii.543).
WD 953, f.44 (52)

Candi Gunung Gansir, near Gempol, East Java, was probably built in the last quarter of the 14th century. The structure is in poor condition today, but it still has a very fine terracotta decoration incorporated in the masonry, showing vases of flowers, imaginary trees covered with fruit and goddesses carrying lotuses (Dumarçay 1986:83). The watercolour drawing of the temple in 1812 shows some reliefs still *in situ* on the outer walls of the candi; many of these have now fallen off and are scattered around the temple courtyard.

Pemandangan selatan Candi Gunung Gansir, Jawa Timur

Candi Gunung Gansir, dekat Gempol, Jawa Timur, mungkin dibangun pada akhir abad ke 14. Bangunan itu kini dalam keadaan rusak, tetapi tetap masih memiliki dekorasi terakota halus pada dinding yang menunjukkan jambangan bunga, pohon-pohon khayalan yang sarat buah dan para bidadari yang membawa bunga teratai (Dumarçay 1986:83). Lukisan cat air candi ini pada tahun 1812 menunjukkan bahwa beberapa relief masih berada pada tempat aslinya di bagian luar dinding candi. Banyak di antaranya sekarang telah rusak dan bertebaran di sekeliling halaman candi.

39 UKIRAN BATU DARI CANDI GUNUNG GANSIR
Detail of reliefs from Candi Gunung Gansir, by John Newman. Inscribed in ink: *From Bangil. 4 April 1812.* Ink and wash; 245 × 295 mm. Archer (1969:ii.543).
WD 953, ff.42v (49) & 43 (50) (detail)

PLATE 12

51

Stone images at Batu Tulis, Bogor, West Java

Copy by Pyari Lal from an original ink and wash drawing by J.Flikkenschild dated 8 November 1812 in the British Museum, 1939.3-11.09 (1). Inscribed in ink: *View of the Kampong Batoe Toelies with a Pondoppo or shed near it under which stands a stone image called Kiai Poerwa Kalie. Copd by Pearalall.* Watercolour; 270 × 447 mm (image size 247 × 427 mm). Archer (1969:ii.547), Bastin (1953:Plate 1).
WD 953, f.84 (95)

Arca batu di Batu Tulis, Bogor, Jawa Barat

Desa Batu Tulis di dekat Bogor diberi nama demikian karena adanya prasasti batu yang besar. Prasasti Bahasa Sunda kuno ini memperingati didirikannya kerajaan Hindu-Buddha Pajajaran pada tahun 1333 oleh seorang bernama Raja Maharaja. Kerajaan ini berakhir setelalah ditaklukkan oleh kekuatan Islam Banten sekitar tahun 1579. Bersama

40 PRASASTI BATU TULIS

Inscribed in ink: *View of the Batoe Toelies on a large scale with the Characters engraved on it. November 8th, 1812. Original by J. Flikkenschild. Copied by C. Ignatio. Augt 22nd, 1816.* Watercolour; 453 × 343 mm. Archer (1969:ii.500).
WD 899 (13)

41 ARCA BATU DI BATU TULIS

Inscribed in ink: *Drawing of the Stone Image Kiay Poerwakalie on a large scale together with some smaller Images & Stones whose names are not known by the natives. J. Flikkenschild*; in pencil: *Copied by – 1816.* Watercolour; 296 × 473 mm. Archer (1969:ii.501).
WD 900 (14)

The village of Batu Tulis on the outskirts of Bogor obtains its name from the presence of a large stone inscription, written in Old Sundanese, commemorating the founding by a certain King Maharaja of the Hindu-Buddhist kingdom of Pajajaran in 1333, which lasted until its defeat by the Muslim forces of Banten in about 1579. Together with the inscription are stone impressions said to represent the footprints and handprint of the King, and a stone linga, of which it is said: *According to the Opinion of the Natives great luck and good fortune during their life time shall await whoever can stretch out their arms backwards so as to enfold this Stone* (**40**). In the vicinity of Batu Tulis are a number of other objects of veneration, of which the most prominent is a stone statue referred to by local inhabitants as Kiai Purwa Galih.

prasasti itu terdapat beberapa jejak yang katanya merupakan jejak kaki dan tangan sang Raja, dan sebuah batu lingga yang, menurut catatan pada gambar (**40**): *Menurut pendapat penduduk setempat, keberuntungan dan rezeki seumur hidup akan menyertai siapa saja yang dapat melingkarkan tangan mereka ke belakang dan memeluk lingga batu ini.* Dekat desa Batu Tulis terdapat beberapa tempat pemujaan lain. Yang paling menonjol di antaranya adalah patung batu yang oleh penduduk setempat dikenal sebagai Kiai Purwa Galih.

Tomb of Maulana Malik Ibrahim, Gresik, East Java

By an Indonesian artist, *ca.*1812. Inscribed in ink (in Malay in Jawi script).[15]
Ink and yellow wash; 390 × 514 mm. Archer (1969:ii.504).
WD 919 (32)

The grave of Maulana Malik Ibrahim at Gresik dated AH 822 (AD 1419) is one of the most important early Muslim sites in Java. The beautiful marble tombstone with its intricately-carved calligraphy is believed to have been imported from Cambay in Gujerat, India.

The graves of the founders of Islam in Java and of other important Muslim personages soon became sacred spots and places of pilgrimage. The stream of visitors to these holy sites probably led to a demand for 'souvenirs', and drawings of different aspects of these tombs were mass-produced for sale both to pilgrims and to interested foreign visitors.[16]

Makam Maulana Malik Ibrahim, Gresik, Jawa Timur

Makam Maulana Malik Ibrahim di Gresik yang bertanda tahun AH 822 (AD 1419) ialah salah satu tempat peninggalan Islam yang terpenting di Jawa. Batu nisan marmer yang indah dengan ukiran kaligrafi yang rumit ini diyakini berasal dari Cambay di Gujerat, India.

Makam para penyebar Islam di Jawa dan tokoh-tokoh Islam terkemuka yang lain segera saja menjadi tempat suci yang banyak dikunjungi orang. Arus pengunjung ke tempat suci ini mengakibatkan pasaran untuk cenderamata, dan lukisan makam tersebut kemudian dihasilkan secara massal untuk dijual kepada penziarah maupun kepada pengunjung asing.[16]

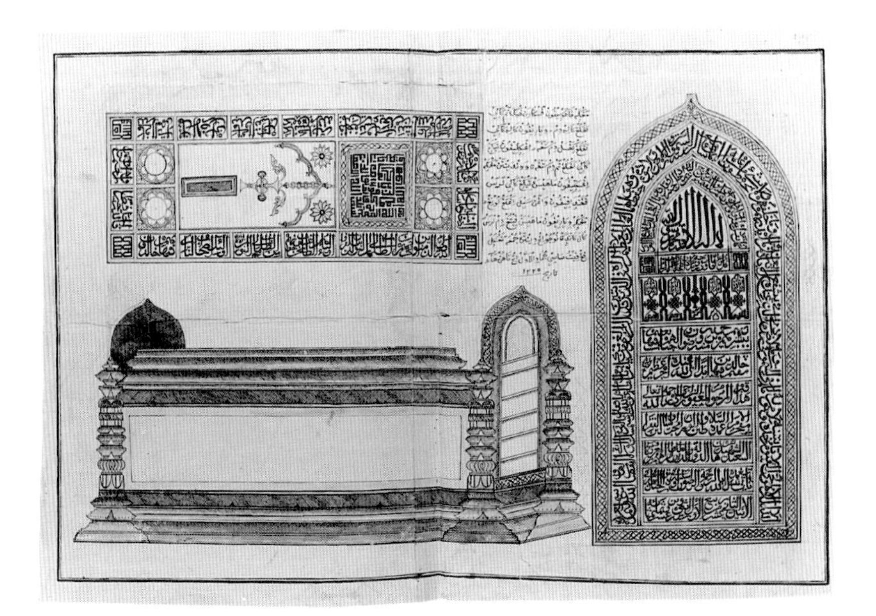

42 GAMBAR LAIN MAKAM MAULANA MALIK IBRAHIM
Another drawing of the tomb. Ink and yellow wash on paper; 385 × 282 mm. Archer (1969:ii.463).
WD 958, f.43 (299)

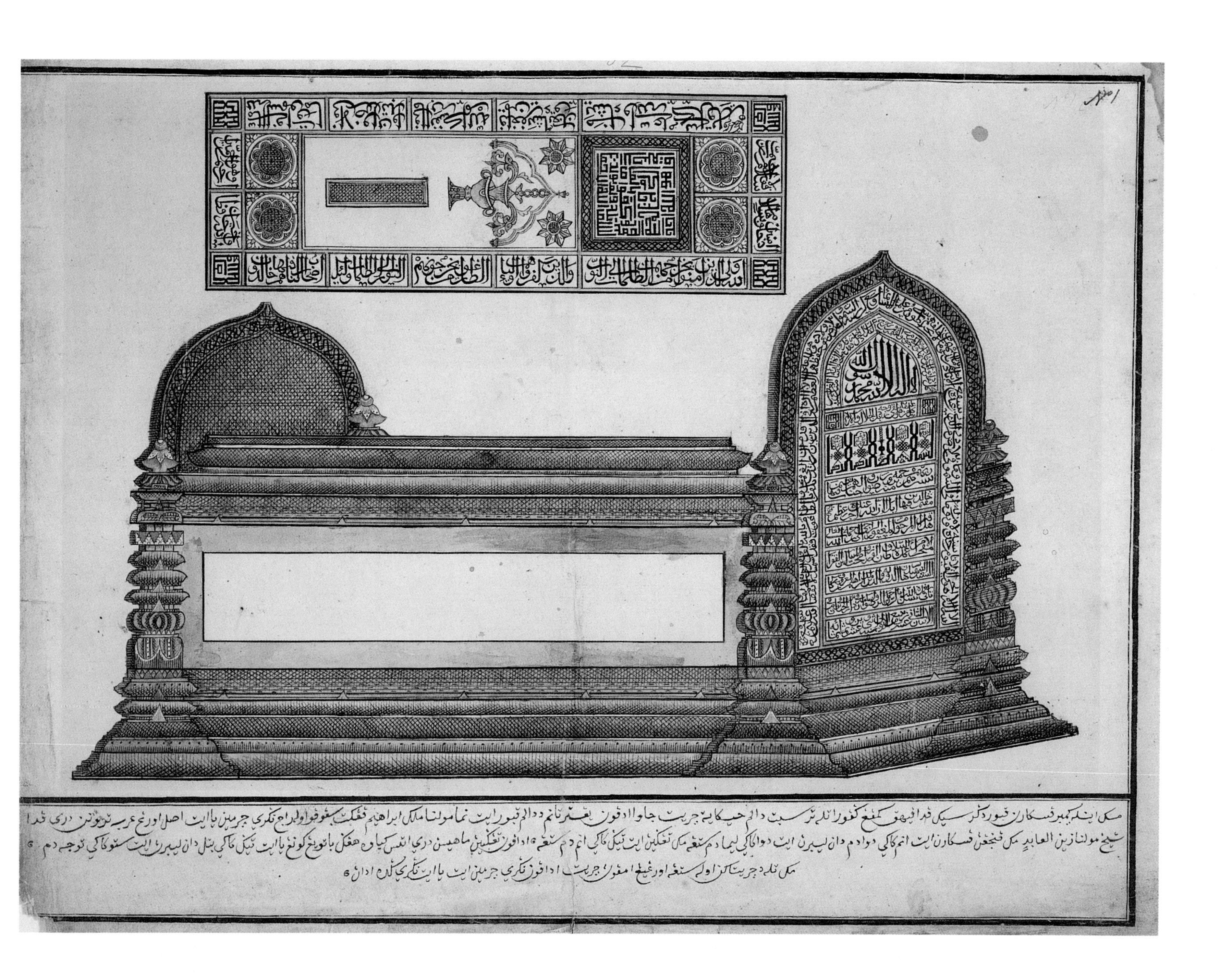

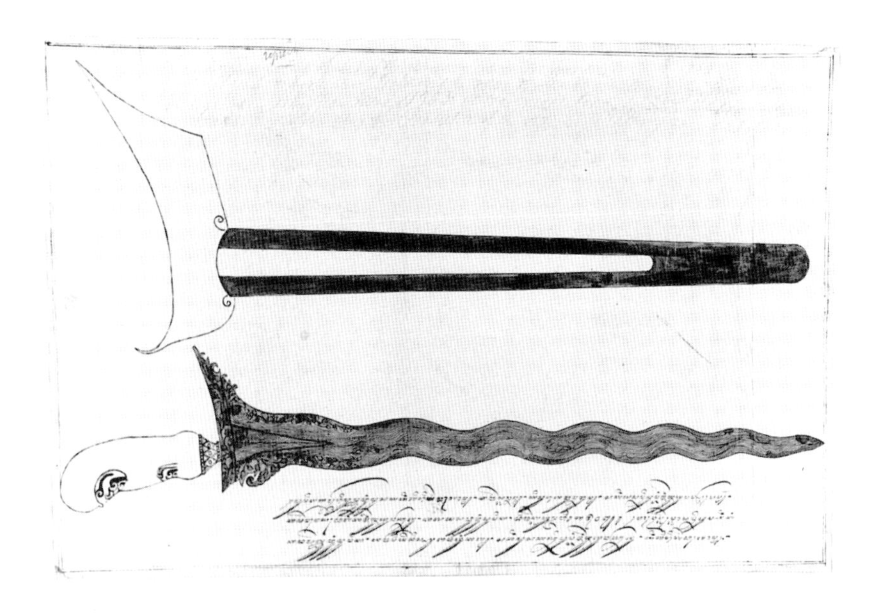

43 KERIS PUSAKA SUNAN GIRI

Keris of Sunan Giri, by an Indonesian artist, *ca.*1812. Inscribed in ink (in Javanese) and pencil (in English). Ink and yellow wash; 298 × 461 mm. Archer (1969:ii.504). WD 921 (34)

Tomb of Susuhunan Ratu Giri, Gresik, East Java

By an Indonesian artist, *ca.*1812. Inscribed in ink (in Javanese). Ink and yellow wash; 428 × 376 mm. Archer (1969:ii.503).
WD 917 (30)

In the *Babad Tanah Jawi*, Sunan Giri – also known as Susuhunan Ratu Giri – is named as one of the *Wali Sanga*, the nine saints responsible for the first conversions to Islam in Java. The origins of Sunan Giri are recounted in another Javanese text, the *Sejarah Banten*: a foreign holy man, Maulana Usalam, cured the daughter of the ruler of Balambangan in east Java by giving her betel-nut to chew. He then married the princess, but when the ruler refused to convert to Islam, Maulana Usalam departed from Balambangan, leaving his pregnant wife. When she gave birth to a son, the baby was thrown into the sea in a chest.[17] The chest was later fished out of the sea at Gresik, where the boy was raised as a Muslim and became the first Sunan of Giri (Ricklefs 1981:10).

Also shown here is a drawing of the holy *keris* of Sunan Giri. It is said that Sunan Giri threw his pen at some Hindus from Majapahit when they tried to disturb him; it changed into this *keris* and killed them all (Archer 1969:ii.504).

Makam Susuhunan Ratu Giri, Gresik, Jawa Timur

Dalam *Babad Tanah Jawi*, Sunan Giri – yang juga dikenal sebagai Susuhunan Ratu Giri – adalah salah seorang Wali Sanga, sembilan orang wali yang menyebarkan agama Islam di Jawa. Asal usul Sunan Giri disebutkan dalam karya Jawa yang lain, yaitu *Sejarah Banten*. Dalam cerita ini dikisahkan bahwa seorang ulama asing, Maulana Usalam, berhasil menyembuhkan anak gadis Raja Balambangan di Jawa Timur dengan memberikan sirih untuk dikunyah. Ia kemudian menikahi sang putri, tetapi ketika Raja itu menolak untuk masuk Islam, Maulana Usalam meninggalkan Balambangan, dan istrinya yang sedang hamil. Ketika sang putri melahirkan, bayi itu segera dibuang ke laut dalam sebuah kotak kayu.[17] Peti ini kemudian ditemukan seorang pengail di laut di Gresik, di mana anak itu kemudian dibesarkan sebagai orang Islam, dan menjadi Sunan Giri pertama (Ricklefs 1981:10).

Di sini juga ditunjukkan gambar keris pusaka Sunan Giri. Menurut cerita, Sunan Giri melemparkan kalamnya ke orang Hindu dari Majapahit ketika mereka mencoba mengganggunya. Kalam itu berubah menjadi keris dan membunuh orang Hindu tersebut (Archer 1969:ii.504).

SCENES OF DAILY LIFE
CUPLIKAN KEHIDUPAN SEHARI-HARI

Everyday scenes in Indonesian art

The bas-reliefs on Javanese *candi* are a rich source of charming vignettes of daily life in ancient Java. The lives and loves of gods and goddesses are played out against a backdrop of hunters in the forest, peasants gathering firewood, fishermen casting their nets and children climbing fruit trees, all depicted in a naturalistic way and on a scale and with a vitality unsurpassed to this day in Indonesian art. In other Indonesian artforms, there are few comparable depictions of daily life, or such as might have existed at one time no longer survive.

A small window onto the everyday world of ages past is, however, found in Javanese and Balinese manuscript illustrations. One of the most important

Gambaran kehidupan sehari-hari dalam kesenian Indonesia

Relief di dinding candi-candi Jawa adalah sumber yang menggambarkan kehidupan di Jawa pada masa kuno dengan jelas. Kehidupan dan cinta para dewa dan dewi digambarkan dalam relief, berlatarbelakangkan adegan kehidupan para pemburu di hutan, petani mengumpulkan kayu bakar, nelayan menebarkan jala serta anak-anak menaiki pohon untuk memetik buah. Semuanya ini digambarkan dengan gaya naturalis dalam skala dan semangat yang hingga kini tidak terkalahkan dalam kesenian Indonesia. Dalam bentuk kesenian Indonesia yang lain, tidak banyak terdapat penggam-

44 PERJALANAN DARI TUBAN KE MAJAPAHIT

The journey from Tuban to Majapahit, *Serat Damar Wulan*. Ink, colours and gold on Dutch paper, 'LH & Z', 'Honig'; 215 ff.; 255 × 200 mm. Coster-Wijsman (1953), Gallop & Arps (1991:87), Ricklefs & Voorhoeve (1977:71).
IOL MSS.Jav.89, f.82r (detail)

45 PERSIAPAN PENGANTIN DAMAR WULAN

Damar Wulan's wedding preparations, *Serat Damar Wulan* (see **44**).
IOL MSS.Jav.89, f.134r (detail)

such sources known is a fascinating manuscript in the British Library of the *Serat Damar Wulan*, dating from the second half of the 18th century and probably originating from the north coast of Java. Although the illustrations are often crudely drawn and have not been executed with much care, the manuscript exudes a sense of humour – even irreverence – and a delight in everyday detail rarely seen in Indonesian manuscripts. As noted by L.M.Coster-Wijsman (1953:157), the first scholar to draw attention to this manuscript, 'It is in their interest in every day things that these illustrations are exceptional. Usually, illustrations are strictly limited to the heroes'. Thus in a drawing of travellers our attention is focused not on the aristocrats at the front but on Demang Gatul, an old servant, who brings up the rear carrying 'everything

46 PENEMUAN BAYI DI DALAM SUNGAI
The discovery of a baby in the river, *Serat Panji Jaya Kusuma*, 1805. In Javanese; ink, colours and gold on Dutch paper, 'J H & Zoon', 'Pro Patria'; 104 ff.; 322 × 210 mm. Ricklefs & Voorhoeve (1977:68), English translation in MacKenzie Collection (1822) 28, pt.2.
IOL MSS.Jav.68, f.69r (detail)

baran kehidupan sehari-hari seperti ini.

Namun sebuah jendela kecil yang memungkinkan orang untuk melihat ke masa-masa lalu dapat dilihat pada gambar dalam naskah Jawa dan Bali. Salah satu sumber penting adalah sebuah naskah yang menarik di British Library yaitu naskah *Sèrat Damar Wulan*, yang berasal dari pertengahan kedua abad ke 18 yang kemungkinan berasal dari daerah pesisir utara Jawa. Meskipun lukisannya digambar dengan kasar dan tidak dilakukan dengan teliti, naskah ini menampilkan rasa humor dan juga memberi gambaran terinci mengenai seluk beluk keseharian yang jarang terdapat dalam naskah Indonesia. Seperti yang disampaikan oleh L.M.Coster-Wijsman (1953:157), sarjana pertama yang menarik perhatian orang pada naskah tersebut, 'Pemusatan perhatian pada kehidupan sehari-harilah yang membuat naskah ini merupakan suatu yang berbeda. Biasanya, ilustrasi hanyalah menampilkan para tokoh atau pahlawan.' Dalam penggambaran pengembara, perhatian kita tidak terpusat pada para bangsawan yang tampil di depan, melainkan pada Demang Gatul, seorang pembantu tua yang terbungkuk menggendong macam-macam barang, bahkan ayam (**44**). Pada saat Damar Wulan sedang disiapkan untuk upacara perkawinannya, kita akan turut mengernyit bersamanya melihat rambutnya ditarik ke belakang dan dagunya didorong supaya ia menengadah oleh dua orang perempuan – yang kelihatan agak galak – yang segera dapat dikenali sebagai perias pengantin seperti yang banyak kita lihat sekarang (**45**).

Meskipun demikian, kebanyakan naskah Jawa bergambar tetap memusatkan perhatian pada para tokoh bangsawan dan hanya sekilas pada rakyat jelata, dan itupun baru bila mereka membawakan peran pendukung dalam cerita. Dalam naskah *Serat Panji Jayakusuma*, seorang nelayan menemukan sebuah kotak berisi seorang bayi perempuan di jalanya. Kemudian ia mengangkat bayi ini menjadi anaknya; ternyata bayi ini adalah seorang putri raja. Penggambaran adegan ini, yang diawasi oleh sepasukan kera di tepian sungai, membawa suasana kebenaran sehari-hari (**46**).

47 KIAI NGABEHI NAYA WIPRAYA

His Excellency Pungearon Nia paria Ambassador Extraordinary from the King of Bantam to his Matie of great Brittain in the year 1682. Sold by John Overton at the White Horse without Newgate. Exactly Drawn after the life. I. Oliver Sculp. Engraved from a drawing by John Oliver; 333 × 221 mm.

British Museum P&D 1849.3-15.100

48 KEDUA UTUSAN BANTEN DI DUKES THEATRE

Keay Nabee Naia-wi-praia & Keay Abi jaya Sedana, Ambassadors from the Sultan of Bantam to his Ma:tie of Great Britain, 1682. Both drawen from the life at the Dukes Theatre by E.Lutrell and sold by I.Smith in Russell Street. Engraved from a drawing by Edward Lutrell; 162 × 202 mm.

British Museum P&D 1849.5-12.918

49 KIAI NGABEHI NAYA WIPRAYA

His Excellency Kaia Nebbe Nia Via Pria Embassadour extraordinary from the most famous Sultan of Bantam, to his Majesty of Great Brittaine in the yeare 1682. R. Prick Excu. Mezzotint by Robert Prick; 292 × 206 mm.

British Museum P&D 1849.3-15.101

but the kitchen sink' on his back (**44**). As Damar Wulan is being adorned in preparation for his wedding, we wince with him as his hair is yanked back and his chin thrust up by two bossy and rather corpulent female attendants, of a type instantly recognisable from the ranks of professional wedding dressers active today (**45**).

However, most illustrated Javanese manuscripts inevitably focus on the royal heroes of the story, offering only occasional glimpses of ordinary folk, and then only when cast in their supporting roles in the narrative. In a manuscript of the *Serat Panji Jayakusuma*, a fisherman finds a box caught in his nets. It contains a baby girl – later revealed as a princess – whom he adopts. The depiction of the scene, watched over from the riverbanks by troops of chattering monkeys, rings with everyday truth (**46**).

Early western drawings of Indonesians

The opening up of a direct sea route from west to east in the 16th century awakened a great curiosity in Europe about the inhabitants of Asia, and led to a demand for drawings of different ethnic groups of people clothed in their typical costume. There was enormous public interest over the visit to London in 1682 of Kiai Ngabehi Naya Wipraya and Kiai Ngabehi Jaya Sedana, ambassadors from the Sultan of Banten to the court of King Charles II (**47-49**). No fewer than five engraved portraits, all by different artists, were issued to mark the visit of the Banten envoys (Foster 1926: 112–13).

Not all drawings of Indonesians were as accurate as the portraits of the Banten envoys, which were at least drawn from life. One 17th century set of drawings in the British Library includes 12 pictures of Indonesians[18] (**50-53**). This album has an interesting provenance, deriving from the eminent English philosopher John Locke (1632–1704), who from 1684–88 lived in Holland as a political exile. On 12 August 1687, Locke wrote from Amsterdam to William Charleton in London: 'I the last weeke put into the hands of Mr Smith a bookseller liveing at the Princes Armes in Pauls Churchyard 26 Draughts of the

Gambar-gambar Barat awal tentang manusia Indonesia

Pembukaan jalur laut langsung dari barat ke timur pada abad ke 16 membangkitkan rasa ingin tahu orang Eropa mengenai peri kehidupan masyarakat di Asia, dan hal ini mendorong timbulnya pasaran akan gambar-gambar berbagai kelompok suku bangsa dalam pakaian aslinya. Masyarakat London sangat tertarik dengan kunjungan dua orang utusan Sultan Banten – Kiai Ngabehi Naya Wipraya dan Kiai Ngabehi Jaya Sedana – ke istana Raja Charles II pada tahun 1682 (**47-49**). Tidak kurang dari lima buah gambar dihasilkan oleh pelukis yang berlainan dan diterbitkan pada masa kunjungan kedua duta Banten itu (Foster 1926: 112–13).

Tidak semua gambar manusia Indonesia setepat lukisan wajah utusan Banten, yang memang dilukis dari kehidupan. Di British Library terdapat serangkaian gambar abad ke 17, termasuk 12 gambar orang Indonesia[18] (**50-53**). Album ini berasal dari filsuf Inggris terkemuka John Locke (1632–1704), yang selama tahun 1684–88 tinggal di Belanda dalam pembuangan politik. Pada tanggal 12 Agustus 1687, dari Amsterdam Locke menulis surat ke William Charleton di London: 'Minggu lalu saya bertemu dengan Mr. Smith, penjual buku yang tinggal di Princes Armes di Pauls Churchyard, dan memberikannya 26 gambar penduduk tempat-tempat yang jauh, terutama dari India Timur' (Sloane MS 3962, f.297r). Seperti yang terlihat pada reproduksi beberapa gambar di sini, ketepatan dan ketrampilan artistik sangat lemah. Yang melukis gambar ini adalah Sylvester Brounower, seorang pembantu Locke. Dalam surat yang sama Locke nampaknya juga menyadari akan adanya kritik atas mutu lukisan tersebut: 'Atas mutu lukisan saya tidak dapat bertanggung jawab; gambar-gambar itu adalah karya pembantu saya yang telah dengan teliti menyalinkannya dari gambar asli supaya orang dapat melihat pakaian dan warna kulit orang tersebut. Itulah tujuan utama pembuatan gambar itu, dan oleh karenanya, mohon maaf bila lukisan-lukisan tersebut tidak sempurna sebagai karya seni' (Sloane MS3962, f.297v). Lukisan yang paling bagus dari segi seni adalah gambar seorang pangeran dari Gilolo (**54**),

50 LELAKI JAWA

An inhabitant of Iava, by Sylvester Brounower, 1687.
Watercolour; 230 × 172 mm.
Add.5253, f.36

51 LELAKI MAKASAR

An Inhabitant of Macassar, by Sylvester Brounower, 1687. Watercolour; 266 × 188 mm.
Add.5253, f.41

52 WANITA AMBON

An Amboinese, by Sylvester Brounower, 1687.
Watercolour; 236 × 168 mm.
Add.5253, f.46

53 WANITA TERNATE

A Ternatine, by Sylvester Brounower, 1687.
Watercolour; 230 × 171 mm.
Add.5253, f.45

inhabitants of severall remote parts of the world especially the East Indies' (Sloane MS 3962, f.297r). As can be seen from the selection reproduced here, accuracy and artistic merit leaves quite a lot to be desired. The artist responsible for these pictures was Locke's servant Sylvester Brounower, and in the same letter, Locke himself appears to anticipate and hence to preempt the inevitable criticism of their quality: 'For the excellency of the drawing I will not answer they being done by my boy who hath faithfully enough represented the originals they were copyed from, soe t[ha]t one may see the habits & complexion of the people wh[ich] was the main end they were designed for & therefore you must excuse them if they be not excellent pieces of painting' (Sloane MS 3962, f.297v). The most polished of the Locke drawings is one of an elaborately body-painted prince from Gilolo (**54**), the old western name for Halmahera. The prince, whose name is given as Giolo, had apparently acquired fame as the subject of a 17th-century engraving (**55**), with which our drawing clearly shares a common source.

It was really only by the end of the 18th century that authentic depictions of Indonesians became common, and the sketches by William Alexander of fruit-sellers in Batavia are particularly realistic (**57, 58**). The drawing of a tattooed Pagai islander (**56**) is certainly a reasonably faithful representation of the beautiful and delicate tattooes still seen today in Siberut, another of the Mentawai islands off the west coast of Sumatra. This drawing was done in 1812 by Manu Lal, an Indian artist from Ahmedabad in the employ of Richard Parry, an East India Company official in Sumatra.

Java in the early 19th century

The most interesting drawings of everyday scenes in Indonesia in the British Library are found in the Horsfield and MacKenzie collections, compiled during the British administration of Java from 1811–16. In addition to his main interests of natural history and antiquities, during his travels in Java and Sumatra Horsfield sketched landscapes, buildings, portraits and street and

nama Barat lama untuk Halmahera. Pangeran yang badannya dihias dengan motif berwarna muncul pula dalam sebuah gambar terukir abad ke 17 (**55**). Kedua gambar ini disalin dari sumber yang sama.

Lukisan-lukisan yang lebih tepat mengenai orang Indonesia baru mulai tersebar luas pada akhir abad ke 18, seperti gambar penjual buah-buahan di Batavia karya William Alexander (**57, 58**). Gambar awal abad ke 19 tentang seorang Pagai bercacah (**56**) ternyata mencerminkan dengan baik motif cacah halus seperti yang masih terlihat sekarang ini di Siberut, Kepulauan Mentawai, di sebelah barat Pulau Sumatra. Gambar ini dibuat pada tahun 1812 oleh Manu Lal, seorang pelukis India dari Ahmedabad yang bekerja untuk Richard Parry, seorang pejabat East India Company di Sumatra.

Jawa pada awal abad ke 19

Gambar-gambar pemandangan sehari-hari di Indonesia yang paling menarik di British Library terdapat dalam koleksi Horsfield dan MacKenzie, yang dikumpulkan dalam masa pemerintahan Inggris yang singkat di Jawa, sejak tahun 1811 hingga 1816. Selain minat pribadinya atas lingkungan hidup dan benda purbakala, dalam perjalanannya di Jawa dan Sumatra, Horsfield suka membuat sketsa-sketsa pemandangan alam, bangunan, lukisan wajah, serta pemandangan desa dan kota (PLATES 17–18). Dia juga mempekerjakan dan melatih beberapa orang Indonesia sebagai juru gambar, dan salah satu koleksinya yang menonjol adalah lukisan arak-arakan Jawa, lengkap dengan berbagai perangkat alat musik, yang jelas dilukis oleh orang Indonesia (PLATE 16). John Newman, seorang juru lukis yang bekerja untuk Kol. Colin MacKenzie, menghasilkan sebagian besar gambar arkeologis dalam katalog ini. Dia juga melukis sekitar 30 lukisan cat air yang menggambarkan kehidupan di Jawa, 12 di antaranya dimuat dalam katalog ini (PLATES 19–30).

Bila pakaian khas awal abad ke 19 memberikan nuansa kuno pada beberapa gambar (PLATES 27–30), dalam gambar-gambar lain suasana yang dihadirkan adalah suasana yang berkesinambungan, bukan yang berubah. Di

village scenes (PLATES 17–18). He also employed and trained local Indonesians as draughtsmen, and in his collections is a spectacular painting of a Javanese procession, clearly drawn by an Indonesian artist, displaying a fascinating array of musical instruments and carefully-drawn batik patterns (PLATE 16). John Newman, a draughtsman working for Mackenzie, was responsible for many of the archaeological drawings illustrated in this catalogue. He also compiled a portfolio of about 30 watercolour scenes of Javanese life, 12 of which (PLATES 19–30) are reproduced here.

While the early 19th-century costumes certainly impart an antiquarian feel to some of the drawings (PLATES 27–30), in others there is more of a sense of continuity than of change. Horsfield's sketch of the Javanese *keris* makers (**64**) depicts a man working the bellows, unchanged in shape and function since the famous 15th-century relief of a blacksmith's forge was carved on Candi Ṣukuh nearly four centuries previously[19] (**63**). Looking ahead to the present, Newman's drawings of the *warung kopi* (PLATE 23) and the farmer with his bullock cart (PLATE 21) have a truly timeless quality, and show scenes of daily life in Java still familiar today, little changed from these sketches of nearly two hundred years ago.

dalam sketsa Horsfield tentang para pandai keris Jawa (**64**) nampaklah seorang yang bekerja dengan alat peniup udara, yang tidak berubah dalam bentuk dan kegunaanya sejak relief pandai besi abad ke 15 yang diukir di dinding Candi Sukuh hampir empat abad sebelumnya[19] (**63**). Di samping itu, gambar Newman tentang warung kopi (PLATE 23) dan petani dengan kereta lembunya (PLATE 21) tetap menunjukkan pemandangan kehidupan sehari-hari di Jawa yang masih kita kenal hingga kini, tidak banyak yang berubah dari sketsa yang dibuat hampir 200 tahun yang lalu.

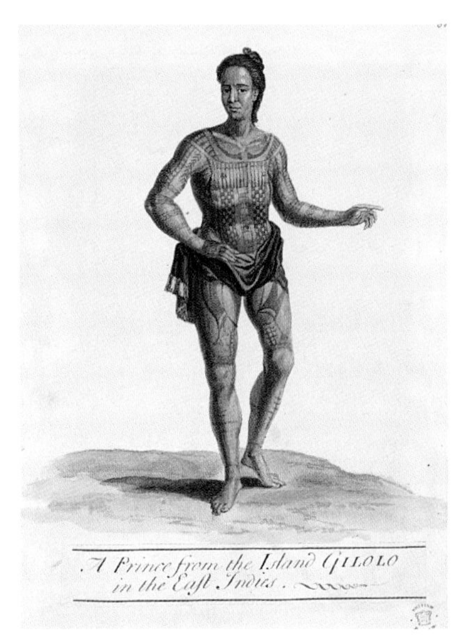

54 PANGERAN DARI HALMAHERA

A prince from the Island Gilolo in the East Indies, by Sylvester Brounower, 1687. Watercolour; 292 × 210 mm.
Add. 5253, f.38

55 PANGERAN GIOLO DARI HALMAHERA

Prince Giolo, Son to ye King of Moangis or Gilolo: lying under the Equator in the Long. of 152 Deg. 30 Min., a fruitful island abounding with rich Spices and other valuable Commodities . . . Sold at his Lodgings: and at the Golden head in the Old Baily. F. Savage Sculp. Engraving by F. Savage.
British Museum P&D P.8.274

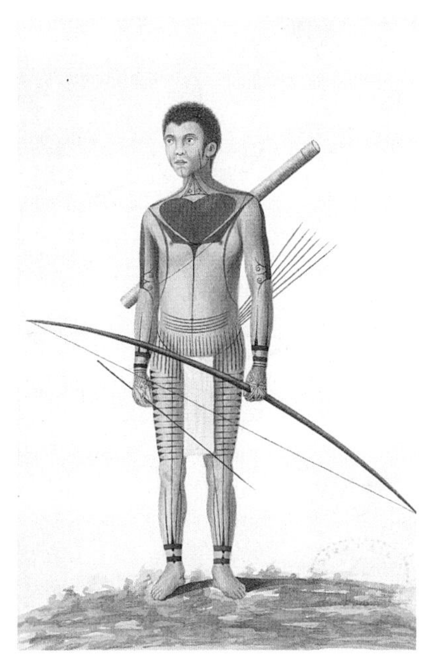

56 ORANG PAGAI BERCACAH

A Poggy Islander, by Manu Lal, 1812. Watercolour. Archer (1969:ii.423).
Add.Or.490

57 GADIS MELAYU, BATAVIA

A Malay girl. Batavia, by William Alexander, 1793. Watercolour. Archer (1969:ii.391).
WD 961, f.87 (278)

58 ORANG MELAYU DENGAN MANGGIS, BATAVIA

Malay with mangostans – Batavia, by William Alexander, 1793. Watercolour. Archer (1969:ii.391).
WD 961, f.87 (279)

59 MENANAM PADI DI SAWAH

Villagers ploughing and transplanting padi in the ricefields in Java. Watercolour; 195 × 338 mm. Archer (1969:ii.452)
WD 956, f.10 (12)

60 TARI TOPENG

Javanese masked dancers, by Dr Thomas Horsfield. Pencil; 194 × 320 mm. Archer (1969:ii.450).
MSS.Eur.F.54, f.8

61 TARI TOPENG

Javanese masked dancers, by Dr Thomas Horsfield. Pencil; 194 × 320 mm. Archer (1969:ii.450).
MSS.Eur.F.54, f.9

62 PETANI DENGAN TOPI DAUN

A farmer with a palm hat, by Dr Thomas Horsfield. Pencil; 194 × 320 mm. Archer (1969:ii.450).
MSS.Eur.F.54, f.14 (detail)

63 PANDAI BESI, RELIEF DARI CANDI SUKUH

Relief of a blacksmith's forge from Candi Sukuh. Pencil; 208 × 274 mm. Archer (1969:ii.461). WD 958, f.26 (264).

64 PANDAI KERIS

Keris makers, by Dr Thomas Horsfield. Pencil; 181 × 265 mm. Archer (1969:ii.457) WD 957, f.50 (164) (detail)

Javanese procession

Arak-arakan di Jawa

By an Indonesian artist, early 19th c. Watercolour; 195 × 1430 mm. Archer (1969:ii.450), Bastin (1953:275, n.9).
MSS.Eur.F.54, f.37

PLATE 16

PLATE 16

PLATE 16

Suspension bridge across the river at Ladok, East Java

Jembatan gantung di Ladok, Jawa Timur

By Dr Thomas Horsfield. Inscribed in pencil: *In the forest of Ladok*. Pencil; 227 × 297 mm. Archer (1969:ii.453).
WD 956, f.19v (22)

Village market

Pasar

By Dr Thomas Horsfield. Pencil; 242 × 342 mm. Archer (1969:ii.453).
WD 956, f.23 (26)

A dragon-head boat

Perahu berkepala naga

By John Newman, *ca.*1811–13. Watercolour; 250 × 390 mm (image size 188 × 348 mm). Archer (1969:ii.546, plate 93), Jessup (1990:63,237).
WD 953, f.75 (86)

A ferry across the Citarum river at Biabang, West Java

Feri menyeberang Sungai Citarum, Biabang, Jawa Barat

By John Newman, *ca.*1811–13. Watercolour; 250 × 397 mm (image size 176 × 343 mm). Archer (1969:ii.546).
WD 953, f.78 (89)

A farmer and his bullock cart

Seorang petani dengan kereta lembu

By John Newman, *ca.*1811–13. Watercolour; 247 × 396 mm (image size 202 × 370 mm). Archer (1969:ii.546).
WD 953, f.80 (91)

Villagers and pack ponies

Penduduk desa dengan kuda beban

By John Newman, *ca.*1811–13. Watercolour; 249 × 395 mm (image size 177 × 343 mm). Archer (1969:ii.547).
WD 953, f.87 (98)

Coffee stall at Gunung Sari, Jakarta

Warung kopi di Gunung Sari, Jakarta

By John Newman, 1813. Inscribed in ink: *The Vauroon or Temporary Coffee Stall – Conong Sari house. John Newman delt. May 31st 1813.* Watercolour; 251 × 394 mm (image size 189 × 346 mm). Archer (1969:ii.546).
WD 953, f.82 (93)

A cockfight

Sabungan ayam

By John Newman, *ca.*1811–13. Watercolour; 249 × 395 mm (image size 194 × 305 mm). Archer (1969:ii.547).
WD 953, f.85 (96)

Angklung ensemble

Pemain angklung

By John Newman, *ca.*1811–13. Watercolour; 250 × 395 mm (image size 183 × 348 mm). Archer (1969:ii.547).
WD 953, f.89 (100)

Dancing girls and a gamelan ensemble

Ronggeng dengan gamelan

By John Newman, *ca.*1811–13. Watercolour; 249 × 396 mm (image size 173 × 335 mm). Archer (1969:ii.547).
WD 953, F.90 (101)

Javanese officers

Perwira Jawa

By John Newman, *ca.*1811–13. Watercolour; 241 × 393 mm (image size 195 × 342 mm). Archer (1969:ii.547).
WD 953, f.101 (112)

Javanese pike bearers

Angkatan tombak

By John Newman, *ca.*1811–13. Watercolour; 247 × 393 mm (image size 178 × 338 mm). Archer (1969:ii.547).
WD 953, f.102 (113)

A Javanese grandee and a European

Seorang pembesar Jawa dan seorang Eropah

By John Newman, *ca.*1811–13. Watercolour; 249 × 395 mm (image size 183 × 327 mm). Archer (1969:ii.547).
WD 953, f.99 (110)

A Javanese grandee and an attendant

Seorang pembesar Jawa dan pembantunya

By John Newman, *ca*.1811–13. Watercolour: 249 × 395 mm (page size 183 × 327 mm
Archer (1969:ii.547).
WD 953, f.96 (107)

NATURAL HISTORY DRAWINGS
LUKISAN LINGKUNGAN HIDUP

Images of nature in ancient Indonesian art

Amongst the earliest known records of man's view of the world around him are the 30,000 year-old rock-paintings found deep in the caves of Lascaux in southern France and Altamira in northern Spain. Vigorous black, brown and red drawings on the walls and roofs of rock caverns depict the prey upon which early man the hunter depended for his survival: bison, oxen and deer. These extraordinarily early palaeolithic paintings of south-western Europe symbolise the fact that in nearly every culture in the world, the vibrant forces of nature are man's primary sources of artistic inspiration.

One of the earliest Indonesian paintings known is also inspired by the animal kingdom, the product of another community of hunters. A drawing of a leaping boar in the Pattae Cave east of Maros, South Sulawesi, is believed to date from the Indonesian Mesolithic era and may be 4,000 years old (Bernet Kempers 1959:Plate 1). There is then a long time-lag before the next important surviving body of art depicting nature, which can be found in the stone reliefs of birds and animals against a backdrop of luxuriant vegetation on Javanese *candi* dating from the 8th century. Carved on the bas-reliefs of Borobudur are fruit-laden mango trees around which cluster elephants, deer, monkeys, birds and dogs; geese, tortoises, crocodiles, buffaloes, mice and snakes illustrating animal fables adorn the *candi* of Mendut, Sajiwan, Jago and Panataran; and betel-nut palms and other recognizable trees are depicted on reliefs from the 15th-century Candi Sukuh. In many other Indonesian societies, although the animal symbolism which plays such an important part – the hornbill in Dayak culture and buffaloes in the symbolism of the Toraja house, to mention just two obvious examples – is usually only manifest today in items made from organic materials such as wood that can rarely be dated to more than two centuries, these stylized representations of birds and beasts on shields, totemic poles and boat prows should be regarded as only the most recent survivors of an ancient tradition of such artworks, usually of profound religious significance, inspired by nature.

Gambaran alam sekeliling dalam kesenian Indonesia kuno

Di antara gambar paling kuno yang merekamkan pandangan manusia atas dunia di sekitarnya adalah lukisan dinding yang berusia 30.000 tahun yang ditemukan di dalam gua di Lascaux di sebelah selatan Perancis dan Altamira di utara Spanyol. Gambar dengan warna hitam, coklat dan merah pekat pada dinding dan langit-langit gua ini menggambarkan binatang buruan yang merupakan sumber kehidupan manusia purba pemburu: bison, lembu dan rusa. Lukisan yang luar biasa lama dari zaman Batu di bagian barat daya Eropa ini merupakan simbol bahwa di hampir setiap kebudayaan di dunia, keindahan lingkungan hidup adalah sumber ilham utama bagi seni ciptaan manusia.

Salah satu lukisan tertua Indonesia juga diilhami dunia binatang, hasil masyarakat pemburu yang lain. Sebuah gambar seekor babi hutan yang sedang melompat yang ditemukan di Gua Pattae, di sebelah timur Maros, Sulawesi Selatan dipercaya sebagai hasil karya zaman Mesolitik, yang berumur kira-kira 4.000 tahun (Bernet Kempers 1959:Plate 1). Kemudian terdapat jarak waktu yang cukup lama sebelum ditemukan karya seni lain yang menggambarkan alam, yaitu relief batu mengenai burung dan binatang dengan latar belakang tumbuh-tumbuhan yang lebat, yang terdapat di candi-candi Jawa mulai sejak abad 8. Pohon mangga berbuah lebat yang dikelilingi gajah, kijang, kera, burung dan anjing terukir di dinding Borobudur, sedangkan Candi Mendut, Sajiwan, Jago dan Panataran dihiasi cerita binatang yang menggambarkan itik, kura-kura, buaya, kerbau, tikus dan ular. Dinding Candi Sukuh yang dibuat pada abad 15 dihiasi relief pohon pinang dan pepohonan lain. Di masyarakat-masyarakat lain di Indonesia, lambang binatang juga memainkan peranan penting, misalnya burung enggang di masyarakat Dayak dan simbolisme kerbau dalam rumah Toraja. Sekarang, simbolisme ini biasanya hanya wujud dalam benda-benda yang terbuat dari bahan organik seperti kayu, yang jarang dapat berusia lebih dari dua abad. Namun demikian, penampilan bergaya burung dan binatang buas dalam ukiran di

65 KIJANG, KUDUS

Deer on a stone plaque from Kudus, by John Newman. Ink & wash; 250 × 386 mm. Archer (1969:ii.546).
WD 953, f.73 (83)

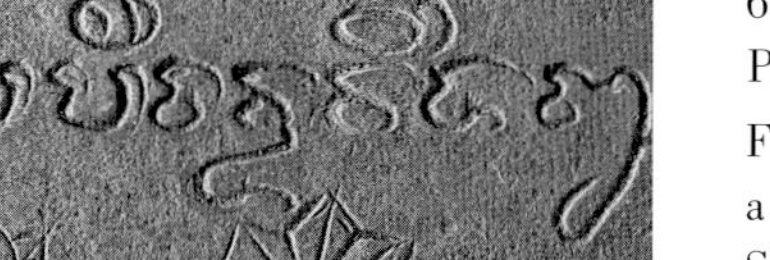

66 TANDA PENUTUP BERBENTUK BUNGA PADA PRASASTI JAWA

Floral end-markers on the inscription of Sobhâmreta: a copy made in the Majapahit period of a charter dated Saka 861 (AD 939). In Old Javanese; 5 bronze plates; 450 × 90 mm. Ricklefs & Voorhoeve (1982:316), Gallop & Arps (1991:74-75).
IOL MSS.Jav.106, f.5v (detail)

67 TANDA PEMISAH TEMBANG BERBENTUK BUNGA PADA NASKAH JAWA

Floral canto marker, *Serat Sélarasa*, dated 24 Sapar AJ 1731 (4 June 1804). In Javanese; ink, colours and gold on European paper; 148 ff.; 310 × 200 mm. Ricklefs & Voorhoeve (1977:61), Gallop & Arps (1991:89).
IOL MSS.Jav.28, f.30r (detail)

68 TANDA PEMISAH TEKS BERBENTUK BUNGA PADA NASKAH BUGIS

Floral text marker in a collection of poems, late 18th–early 19th century. In Bugis and Makasarese; ink on Dutch paper, 'D & C Blauw'; 68 ff.; 340 × 220 mm. Ricklefs & Voorhoeve (1977:27), Gallop & Arps (1991:110).
Add.12346, f.12r (detail)

69 TANDA PEMISAH TEKS BERBENTUK BINATANG PADA NASKAH REJANG

Zoomorphic text marker in a Rejang manuscript of the *Syair Perahu*, late 18th century. Malay language in *rencong* script; ink on tree bark; 36 ff.; 140 × 95 mm. Ricklefs & Voorhoeve (1977:123).
IOL MSS.Malay.A.2, f.A20 (detail)

Flora and fauna in Indonesian manuscript art

Some of the earliest surviving examples of writing in Indonesia also bear witness to the quintessentially human urge to adorn, once again drawing on nature as a limitless sourcebook of decorative motifs. One of the two oldest dated inscriptions in Malay is a Mahayana Buddhist proclamation written in Pallava script found at Talang Tuwo in Palembang. The text, dated 684 and inscribed on a sandstone block, ends with an artistic flourish: an eight-petalled floral motif (Coedes & Damais 1992:Plate VI). A similar device is found on a bronze charter in Old Javanese which concludes with two floral end-markers (**66**). Many modern Javanese manuscripts on paper contain stanza- and canto-markers in the form of stylized flowers, birds and animals, while similar text-markers are also found in some other Indonesian manuscripts (**67–69**).

When Islam began to spread through the Indonesian archipelago from the 13th century onwards, the orthodox prohibition on the depiction of humans and animals was widely adhered to, particularly when the Arabic script was used. Malay and Acehnese manuscript scribes thus devoted their talents to developing elaborate foliate and floral decorative motifs, with the continuing all-pervasive influence of the lotus flower surviving from an older Hindu-Buddhist iconography. Royal letters written in Malay are often sprinkled with golden floral patterns, whilst in codices, it is naturally the Qur'an in which the most exquisite illuminated floral frontispieces are found. The seals used by Indonesian nobles were frequently carved in the shape of petalled flowers (**70**), some with floral meander patterns filling a circular border.

Within Batak society, the esoteric world of the *datuk* or traditional soothsayer was encapsulated in *pustaha*. These are books written on folded tree bark containing instructions in divination and recipes for charms and medicines, the secrets of which were passed on from teacher to pupil in a chain often spanning many generations. *Pustaha* were compiled by apprentice *datuk* as private notebooks and repositories of the knowledge obtained

tameng, tiang-tiang totem dan haluan kapal dewasa ini haruslah dipandang sebagai sisa-sisa dari tradisi yang amat kuno, yang biasanya berhubungan erat dengan kepercayaan agama, dan diilhami oleh lingkungan alam.

Flora dan fauna dalam kesenian naskah Indonesia

Beberapa contoh tulisan paling kuno di Indonesia juga menjadi saksi keinginan mendasar manusia untuk menghias, sekali lagi mengambil alam sekeliling sebagai sumber kaya motif hiasan. Salah satu prasasti tertua dalam bahasa Melayu adalah pengumuman Buddha Mahayana yang tertulis dalam huruf Pallava yang ditemukan di Talang Tuwo, Palembang. Prasasti ini, dari tahun 684 dan ditulis di atas batu pasir, berakhir dengan hiasan berupa bunga berkelopak delapan (Coedes dan Damais 1992: Plate VI). Hiasan yang sama juga ditemukan pada sebuah prasasti perunggu yang tertulis dalam bahasa Jawa Kuno yang berakhir dengan dua gambar bunga (**66**). Banyak naskah Jawa tertulis pada kertas memiliki tanda pemisah tembang atau tanda pemisah bait berbentuk bunga, burung dan binatang lain, sementara itu tanda pemisah teks serupa juga ditemukan pada naskah-naskah Indonesia yang lain (**67–69**).

Agama Islam mulai menyebar di seluruh kepulauan Indonesia sejak abad ke 13, dan pada umumnya larangan ortodoks untuk menggambarkan manusia dan hewan benar-benar dipatuhi, terutama bila huruf Arab yang digunakan untuk menulis naskah. Dengan demikian, para juru tulis naskah Melayu dan Aceh mulai mengembangkan bakat mereka dalam menggunakan motif hiasan bunga, dengan terus melanjutkan pengaruh motif bunga teratai yang telah bertahan sejak zaman Hindu-Buddha. Surat-surat kerajaan atau 'surat emas' yang tertulis dalam Bahasa Melayu seringkali ditaburi dengan pola-pola bunga berwarna keemasan. Di antara naskah berbentuk buku, wajarlah jika Al Qur'an dihiasi dengan bentuk-bentuk bunga yang paling indah. Cap mohor atau stempel yang digunakan oleh para raja dan bangsawan

70 CAP MOHOR BERBENTUK BUNGA DARI SIAK

Floral seal of the Yang Dipertuan Tua of Siak, formerly Sultan Abdul Jalil Saifuddin, from a letter to T.S.Raffles, 22 Zulhijah 1225 (18 January 1811). Lampblack; diameter 28 mm; inscribed in Malay: *Alamat Datu' Raja sanat 1225* [1810].

MSS.Eur.D.742/1, f.112 (detail)

71 GAMBAR BINATANG PADA PUSTAHA BATAK

Animals in a divination manuscript, 18th–19th century. In Batak; 61 ff.; 200 × 115 mm. Ricklefs & Voorhoeve (1977:9-10).

Add. 19380 (detail)

from their gurus. They frequently contain sketches in red and black ink of creatures such as cocks and dogs used in the various oracles (**71**).

Balinese illustrated palmleaf manuscripts are rich in drawings of plants and animals, inscribed on the palmleaf with a stylus and then blackened with a soot and oil mixture. Very occasionally, polychrome illustrations are also found on Balinese palmleaf manuscripts. Although Javanese palmleaf manuscripts are almost never illustrated, there is a highly developed tradition of illustration in paper manuscripts which, like the art of Turkish and Persian miniature painting, coexisted with the practice of Islam. In Javanese manuscripts, plants are depicted in both cultivated and wild settings; while forests are usually represented by a single symbolic tree, gardens have a distinctively indigenous flavour. Instead of the grass lawns and formal flowerbeds associated with European influence (**72**), there are flowering shrubs in pots interspersed with fruit trees and perhaps a fish pond (**73, 74**). Plants are usually stylized beyond recognition, but the picture of Demang Gatul coming to grief in a banana grove is instantly recognizable (**75**). Depictions of animals in

Indonesia seringkali diukir dalam bentuk bunga berkelopak (**70**). Di dalam beberapa cap, bingkai lingkaran dihiasi dengan pola tanaman rambat.

Dalam masyarakat Batak, ilmu para *datuk* atau dukun tradisional terkandung dalam *pustaha*, yaitu buku-buku yang tertulis pada kulit kayu lipat berisi ramalan masa depan dan resep-resep jimat dan obat-obatan, yang rahasianya hanya disampaikan dari guru ke murid sampai beberapa generasi. Pustaha ini disusun oleh para calon datuk sebagai buku catatan pribadi untuk menyimpan segala ilmu yang diperoleh dari guru mereka. Seringkali buku-buku ini berisi sketsa binatang berwarna merah dan hitam seperti ayam dan anjing yang digunakan dalam berbagai ramalan (**71**).

Naskah lontar bergambar atau *prasi* dari Bali banyak dihiasi gambar tumbuhan dan binatang, yang diguratkan ke daun lontar itu dengan pisau tajam, dan diberi warna hitam dengan campuran jelaga dan minyak. Sekali-kali, di dalam naskah Bali juga terdapat ilustrasi yang menggunakan berbagai warna. Meskipun naskah lontar berbahasa Jawa hampir tidak pernah menggunakan ilustrasi, telah berkembang tradisi ilustrasi pada naskah kertas, yang

72 TAMAN BUNGA BELANDA DI BATAVIA

A formal Dutch garden in Batavia. Watercolour; 302 × 467 mm. Archer (1969:ii.452).
WD 956, f.6 (7)

73 TAMAN BUNGA AJAR TUNGGAL MANIK

The pleasure-garden and hermitage of *ajar* Tunggal Manik, from *Serat Damar Wulan* (see **44**).
IOL MSS.Jav.89, ff.73v-74r

74 TAMAN BUNGA JAWA

A Javanese garden with flower pots and fish pond, from *Serat Panji Jaya Kusuma* (see **46**).
IOL MSS.Jav.68, ff.26v-27r

75 DEMANG GATUL TERJATUH DI LADANG PISANG

Demang Gatul entangled in a banana grove, from *Serat Damar Wulan* (see **44**).
IOL MSS.Jav.89, f.80v (detail)

76 PEMBURUAN

A hunting scene, from *Serat Damar Wulan* (see **70**).
IOL MSS.Jav.89, ff.170v-171r

Javanese manuscripts include both the actual – elephants, horses, buffaloes and deer (**76, 77**) – and the mythical – *naga, makara, kala, garuda* and mermaids (**78**).

Compared to some extremely naturalistic animal sculpture found in early Javanese art, all the manuscript illustrations shown here are essentially two-dimensional. However, during the course of the 19th century, some Javanese depictions of animals and plants exhibit increasingly realistic tendencies due to the influence of contemporary European drawings.

The Golden Age of natural history drawings

Despite some interesting examples (**80, 81**), there are only a few pre-1750 European drawings of Indonesian flora and fauna in the British Library. However, this situation was soon to change with the dawning of the 'Golden Age' of natural history drawings in the second half of the 18th century. Important collections of natural history drawings from Indonesia are found at the Kew Herbarium and the Natural History Museum in London, while the British Library contains about a thousand natural history drawings of subjects from the Malay archipelago. The majority – numbering over 800 drawings – are held in the Oriental and India Office Collections.[20] Most of these were collected by men such as Raffles, Horsfield, Marsden and Parry who served with the English East India Company in Indonesia, but there are also many drawings of Southeast Asian subjects in the collections formed by British officials based in India.

The largest single collection derives from Dr Thomas Horsfield.[21] In addition to his drawings of antiquities and sketches of daily life, there are 337 natural history drawings in the Horsfield collection in the British Library, nearly all done in Java between 1811 and 1818. Most of the later drawings were the work of local Indonesian artists trained by Horsfield, although Horsfield himself was clearly responsible for this sketch of a five-legged buffalo (**82**).

seperti juga seni lukis skala kecil dalam naskah Turki dan Persia, tumbuh bersama ajaran Islam. Dalam naskah Jawa, tanaman digambarkan dalam bentuk baik yang terpelihara maupun yang liar. Hutan biasanya dilambangkan dengan sebuah pohon simbolis, sementara taman menampilkan citarasa asli. Karena itu tidak ditampilkan taman dengan padang rumput yang terpelihara dengan petak-petak bunga yang menunjukkan kesan pengaruh Eropa (**72**), yang tampak adalah tanaman berbunga di jambangan diselang seling dengan pohon buah-buahan dan mungkin kolam ikan (**73, 74**). Lukisan tanaman di dalam naskah Jawa hampir tidak dapat dikenali, tetapi gambar Demang Gatul yang terjatuh di rumpun pisang adalah sangat realistis (**75**). Penggambaran binatang dalam naskah Jawa mencakup binatang yang benar-benar – gajah, kuda, kerbau dan kijang (**76, 77**), dan binatang dunia khayalan – naga, makara, kala, garuda dan putri duyung (**78**).

Dibandingkan dengan relief atau arca binatang dalam bentuk aslinya seperti yang terdapat pada kesenian Jawa kuno, semua gambar dalam naskah yang ditampilkan di sini bersifat dua dimensi. Meskipun demikian, selama abad ke 19, beberapa penggambaran binatang dan tanaman cenderung menjadi makin realistis karena pengaruh gambar Eropa.

Zaman Keemasan gambar lingkungan hidup

Meskipun terdapat beberapa contoh menarik (**80, 81**), ternyata di British Library hanya terdapat beberapa gambar Eropa sebelum tahun 1750 mengenai flora dan fauna Indonesia. Namun demikian, keadaan ini segera berubah dengan tibanya 'Zaman Keemasan' gambar lingkungan hidup pada paruh kedua abad ke 18. Koleksi penting gambar lingkungan hidup Indonesia terdapat di Kew Herbarium dan Natural History Museum di London, sementara di British Library terdapat sekitar seribu gambar serupa dari kepulauan Melayu. Sekitar 800 dari jumlah 1.000 gambar tersebut disimpan di bagian Oriental and India Office Collections.[20] Sebagian besar gambar ini dikumpulkan dari tokoh seperti Raffles, Horsfield, Marsden dan Parry yang

77 GAJAH, HARIMAU, BANTENG, BABI HUTAN DAN RUSA
An elephant, tiger, banteng, wild boar, and a pair of deer, from *Serat Panji Jaya Kusuma* (see **46**).
IOL MSS.Jav.68, f.42r (detail)

78 WADANA BERBINGKAI BINATANG KHAYALAN
Chapter heading framed by mythical animals, from *Serat Jayalengkara Wulang*. In Javanese; ink and colours on European paper; 235 ff.; 310 × 195 mm. Ricklefs & Voorhoeve (1977:48), Gallop & Arps (1991:96).
Add. 12310, f.128v

The second largest collection of Indonesian natural history drawings in the British Library was formed by Horsfield's chief patron, Sir Thomas Stamford Raffles, an enthusiastic and informed scholar of natural history and a co-founder of the Zoological Society of London, of which he became the first President. While most of the natural history drawings collected by Raffles in Indonesia are now in the Natural History Museum, 252 are in the British Library.[22] Though of extremely fine quality, these drawings cannot but be regarded as a mere shadow of what might have been, for on Raffles's departure from Sumatra after six years as Lieutenant-Governor of Bengkulu, his ship the *Fame* was lost through fire on the night of 2 February 1824, together with all his possessions, including more than two thousand natural history drawings, which 'having been taken from life, and with scientific accuracy, were executed in a style far superior to any thing I had seen or heard of in Europe' (Lady Raffles 1991:573).

Also from Sumatra are 35 drawings acquired in the early 19th century by William Marsden[23] (PLATES 36–39) and 14 drawings from Richard Parry, Resident of Bengkulu from 1807 to 1811, who employed the Indian artist Manu Lal.[24] From an anonymous source came an album of ten drawings by Chinese artists of plants and birds, probably done in Sumatra (PLATES 32, 35).

From the collections of natural history drawings formed by British officials based in India there are at least 125 drawings of the flora and fauna of maritime Southeast Asia, 15 from the collections of Lord Clive[25] and four from the collection of drawings assembled by the 1st Marquess of Hastings when Governor-General of Bengal[26] from 1813–23, recently acquired by the British Library (PLATES 31, 40). However, the largest number is found amongst the vast collections of an earlier Governor-General who served in Calcutta from 1798–1805, the Marquis Wellesley, who accumulated 2,660 folios of drawings now held in the Oriental and India Office Collections (PLATES 33, 34). Scattered amongst 17 enormous albums are at least 106 drawings of subjects positively identified as originating from the Malay archipelago by ink inscriptions stating 'Malacca', 'Pinang', 'Sumatra' or

bekerja untuk English East India Company di Indonesia. Di samping itu, ada banyak juga gambar lingkungan hidup Asia Tenggara yang berasal dari koleksi pejabat-pejabat Inggris yang bertugas di India.

Koleksi tunggal yang terbanyak adalah dari Dr Thomas Horsfield.[21] Selain gambarnya mengenai benda-benda purbakala dan sketsa kehidupan sehari-hari, masih terdapat 337 gambar lingkungan hidup dalam koleksi Horsfield di British Library, dan hampir semuanya dibuat di Jawa antara tahun 1811 hingga 1818. Sebagian besar gambar ini adalah hasil karya pelukis Indonesia yang dilatih oleh Horsfield, tetapi jelas bahwa Horsfieldlah yang menggambar sketsa yang aneh secara ilmiah, yaitu kerbau berkaki lima (**92**).

Jumlah gambar lingkungan hidup Indonesia terbesar kedua setelah koleksi Horsfield adalah koleksi pelindung Horsfield, Sir Thomas Stamford Raffles, seorang cendekiawan yang sangat antusias dan berpengetahuan luas mengenai ilmu pengetahuan alam. Raffles merupakan salah seorang pendiri Zoological Society of London, dan ia juga diangkat sebagai Presidennya yang pertama. Meskipun sebagian besar gambar lingkungan alam Indonesia yang dikumpulkan oleh Raffles kini disimpan di Natural History Museum, masih terdapat 252 gambar di British Library.[22] Meskipun gambar-gambar ini bermutu sangat baik, koleksi ini hanya merupakan sebagian sangat kecil daripada koleksi semula. Hal ini karena pada saat Raffles meninggalkan Sumatra selepas bertugas sebagai Letnan Gubernur Bengkulu, kapalnya yang bernama *Fame* habis terbakar api pada tanggal 2 Februari 1824 malam bersama dengan semua miliknya, termasuk antara lain lebih daripada dua ribu gambar lingkungan hidup yang 'telah dilukis dari kehidupan, dan menunjukkan ketepatan ilmiah yang jauh lebih unggul daripada apapun yang pernah saya lihat dan dengar di Eropa' (Lady Raffles 1991:573).

Dari Sumatra juga terdapat 35 gambar yang diperoleh pada awal abad ke 19 oleh William Marsden[23] (PLATES 36–39) dan 14 gambar dari Richard Parry, Residen Bengkulu dari tahun 1807 hingga 1811, yang mempekerjakan seorang pelukis India bernama Manu Lal.[24] Dari sumber yang tak dikenal didapat sebuah album berisi 10 gambar tanaman dan burung karya pelukis Cina yang mungkin dibuat di Sumatra (PLATES 32, 35).

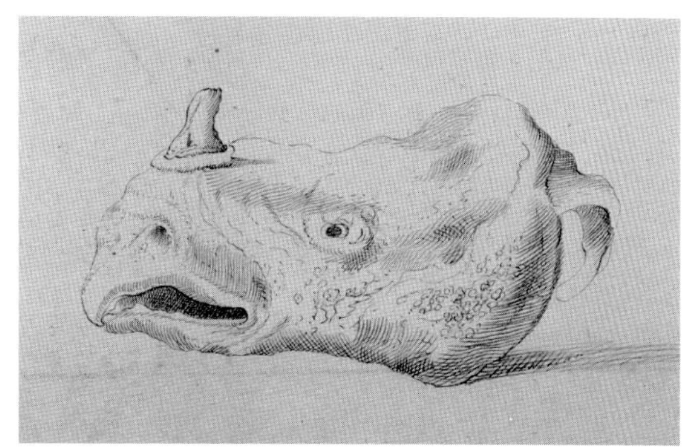

79 KUPU-KUPU DARI JAWA

Butterflies from Java, Horsfield collection, *ca.*1800–18. Pencil and watercolour; 251 × 201 mm. Archer (1962:81).
NHD 9, no.1411 (detail)

80 BURUNG DARI KEPULAUAN BANDA

'Corvus Indicus', or Indian crow, from the Banda Islands, from *Medici, Exotica, sive plantarum, fruticum, arborum, animalium denique, in India praecipue in Imperio Javae nascentium, Historia*, by Jacobi Bontii, 1630. Ink on paper; 50 ff.; 318 × 200 mm. Wainwright & Matthews (1965:19).
Add.18702, f.47r

81 KEPALA BADAK JAWA

Head of a Javan rhinoceros, from a work by Jacobi Bontii, 1630 (see **80**).
Add.18702, f.41r (detail)

82 KERBAU BERKAKI LIMA

A five-legged buffalo, by Dr Thomas Horsfield. Pencil; 198 × 320 mm. Archer (1969:ii.450)
MSS.Eur.F.54, f.1

'Amboyna'. However, there are many others – of gloriously coloured parrots, ethereal birds of paradise, and other recognizably Indonesian subjects – which simply bear the pencil inscription 'E.Islands' on the back, implying a Southeast Asian provenance, but awaiting firm identification.

Despite the advances in scientific knowledge of Indonesian flora and fauna in which natural history drawings played such an important part, some age-old western perceptions remain. In 1975 the Tate Gallery in London acquired an important work by the surrealist painter Max Ernst, his first large picture, painted in Cologne in 1921 (**83**). While the two-legged boiler-like form of the strange creature which fills the canvas was originally inspired by an illustration in an English anthropological journal of a huge communal corn-bin peculiar to the Konkombwa tribe of the southern Sudan (Alley 1981:204-5), the title of the painting, *Celebes*, or, *The Elephant Celebes* – inspired by some German schoolboy rhymes about elephants from Sumatra and Celebes – reflects a continuing tendency to link strange images of wild beasts with the exotic-sounding far-away islands of Indonesia.

83 GAJAH CELEBES

The Elephant Celebes, by Max Ernst, 1921. Oil on canvas; 1254 × 1079 mm.
Tate Gallery, London, TO 1988

Dari koleksi gambar lingkungan hidup yang dihimpun oleh pejabat-pejabat Inggris yang ditugaskan di India didapat paling tidak 125 gambar flora dan fauna kepulauan Asia Tenggara, 15 di antaranya berasal dari koleksi Lord Clive[25] dan empat yang baru didapat berasal dari koleksi gambar yang dihimpun oleh Marquess Hastings I, ketika ia menjadi Gubernur Jenderal Bengal[26] dari tahun 1813–23 (PLATES 31, 40). Meskipun demikian, jumlah yang terbesar ditemukan di antara koleksi Gubernur Jenderal sebelumnya yang bertugas di Calcutta pada 1798–1805, Marquis Wellesley, yang mengumpulkan 2.660 gambar besar yang sekarang disimpan di Oriental and India Office Collections (PLATES 33, 34). Di dalam 17 album besar setidaknya terdapat 106 gambar yang dipastikan berasal dari kepulauan Melayu karena terdapatnya tulisan 'Malacca', 'Pinang', 'Sumatra' atau 'Amboyna'. Meskipun demikian, terdapat banyak gambar lain mengenai burung beo berwarna-warni indah, burung cendrawasih yang lemah lembut, serta gambar burung dan tumbuh-tumbuhan lain yang mungkin sekali berasal dari Indonesia namun hanya bertanda dengan tulisan pensil 'Kepulauan Timur' di baliknya, yang menunjukkan bahwa asalnya dari Asia Tenggara, tetapi masih menunggu ketetapan identifikasinya.

Meskipun terjadi kemajuan dalam ilmu pengetahuan flora dan fauna Indonesia, di mana lukisan lingkungan alam memiliki peranan penting, beberapa pendapat Barat yang kuno masih tetap bertahan. Pada tahun 1975, Tate Gallery, London memperoleh karya penting seorang pelukis surrealis Max Ernst, lukisan besar pertamanya, yang dilukis di Cologne pada tahun 1921 (**83**). Meskipun bentuk binatang besar berkaki dua yang memenuhi kanvas itu sebetulnya diilhami oleh ilustrasi dalam jurnal antropologi Inggris mengenai tempat penyimpanan jagung masyarakat suku Konkombwa di Sudan selatan (Alley 1981:204-5), judul lukisan itu adalah *Celebes* atau *Gajah Celebes* – yang diilhami oleh pantun anak sekolah Jerman mengenai gajah dari Sumatra dan Sulawesi – membuktikan kesadaran yang terus menerus menghubungkan citra binatang buas yang aneh dengan kepulauan Indonesia, yang namanya kedengaran eksotis dan jauh.

84 RAFFLESIA ARNOLDI

Engraving by H.Weddell, published by Raffles in *ca.*1825 in a set of 50–60 copies, some coloured and some uncoloured. 830 × 660 mm (image described as 'Two Thirds of the Natural Size').
P 1969

Durian

Buah durian

By a Chinese artist. Inscribed in ink: *Durian*. Watercolour on English paper, 'S & C Wise'; 377 × 536 mm.
Add.Or.4946

Watermelon

Buah semangka

By a Chinese artist, *ca*.1808. Watercolour on English paper, 'J Whatman'; 419 × 530 mm; Archer (1962:100, Plate 12).
NHD 42, f.1

Pheasant from Java

Burung pegar dari Jawa

Probably by an Indian artist. Inscribed in ink: *B.v.119.118. Fin backed Pheasant from Java. See Sup. 2d 11.274.* Watercolour; 476 × 308 mm; Archer (1962:96). NHD 29, f.71

Pigeon from Sumatra

Burung merpati dari Sumatra

Inscribed in ink: *Columba onea, I.O.ii.602. Nutmeg Pigeon Syn.iv.636. Sumatra Pigeon.* Watercolour on paper; 474 × 316 mm; Archer (1962:96). NHD 27, f.24

Mynah bird and rambutan tree

Burung tiung dan pohon rambutan

By a Chinese artist, *ca*.1808. Watercolour on English paper, 'J Whatman 1807'; 423 × 525 mm; Archer (1962:100).
NHD 42, f.10

William Marsden (1754–1836) was stationed at Bengkulu from 1771–79. Although he left Sumatra at the age of 24 and never returned, he continued to pursue his studies of Indonesian languages, literature and history for the rest of his life. His book *The History of Sumatra* (London, 1783) was the first detailed study of the island, and indeed one of the first truly scholarly accounts of any part of Indonesia. Even after the publication of Raffles's *The History of Java* in 1817, Marsden's *Sumatra* – upon which Raffles's work was modelled – was judged by some to be the better work. Shown here are the two original drawings (PLATES 36, 37) on which Plate IX (**85**) in the 3rd edition of Marsden's *The History of Sumatra* was based, in reversed form.

William Marsden (1754–1836) ditugaskan di Bengkulu dari tahun 1771–79. Meskipun ia menginggalkan Sumatra pada usia 24 tahun dan tidak pernah kembali lagi, dia terus mempelajari bahasa, kesusasteraaan dan sejarah Indonesia hingga akhir hayatnya. Bukunya *The History of Sumatra* (London, 1783) adalah penelitian terinci pertama mengenai pulau Sumatera, dan merupakan catatan ilmiah pertama mengenai bagian dari Indonesia. Buku Marsden dipandang oleh Raffles sebagai contoh yang baik untuk karyanya sendiri, dan bahkan setelah penerbitan *The History of Java* pada tahun 1817 beberapa pendapat menyatakan bahwa karya Marsden masih lebih baik. Tampak di sini adalah gambar-gambar asli (PLATES 36, 37) yang menjadi dasar Plate IX (**85**) edisi ketiga *The History of Sumatra*, dalam bentuk terbalik.

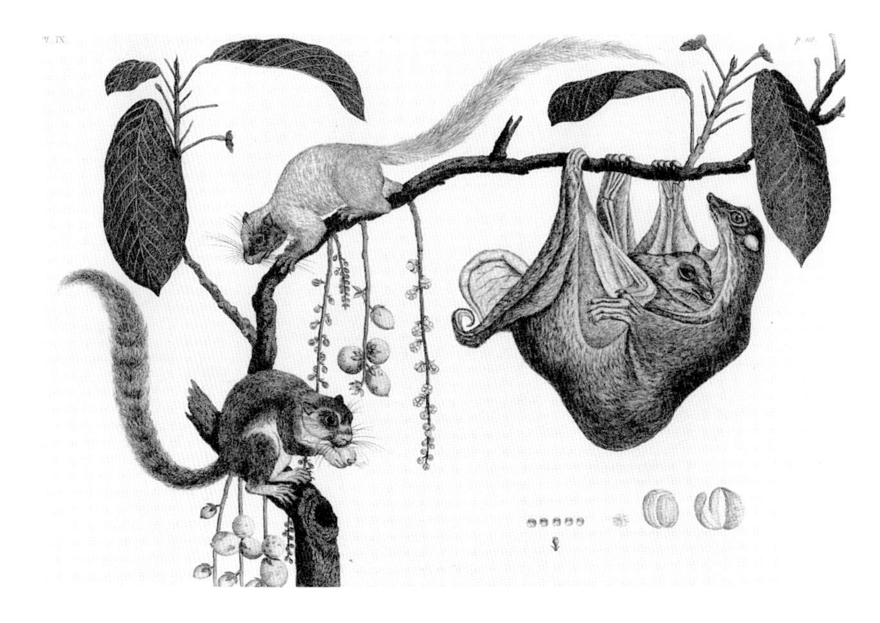

85 TUPAI

A Species of Lemur Volans, suspended from the Rambeh-Tree. Sinensis delt. J.Cardan. Published by W. Marsden, 1810. William Marsden, *The History of Sumatra*, 3rd. ed. (London, 1811).

X.750, Pl.IX

Female lemur with young, Sumatra

Tupai betina dengan anak, Sumatra

By a Chinese artist. Watercolour; 427 × 310 mm; Archer (1962:86), Marsden (1811:118, Plate IX).
NHD 2, no.285

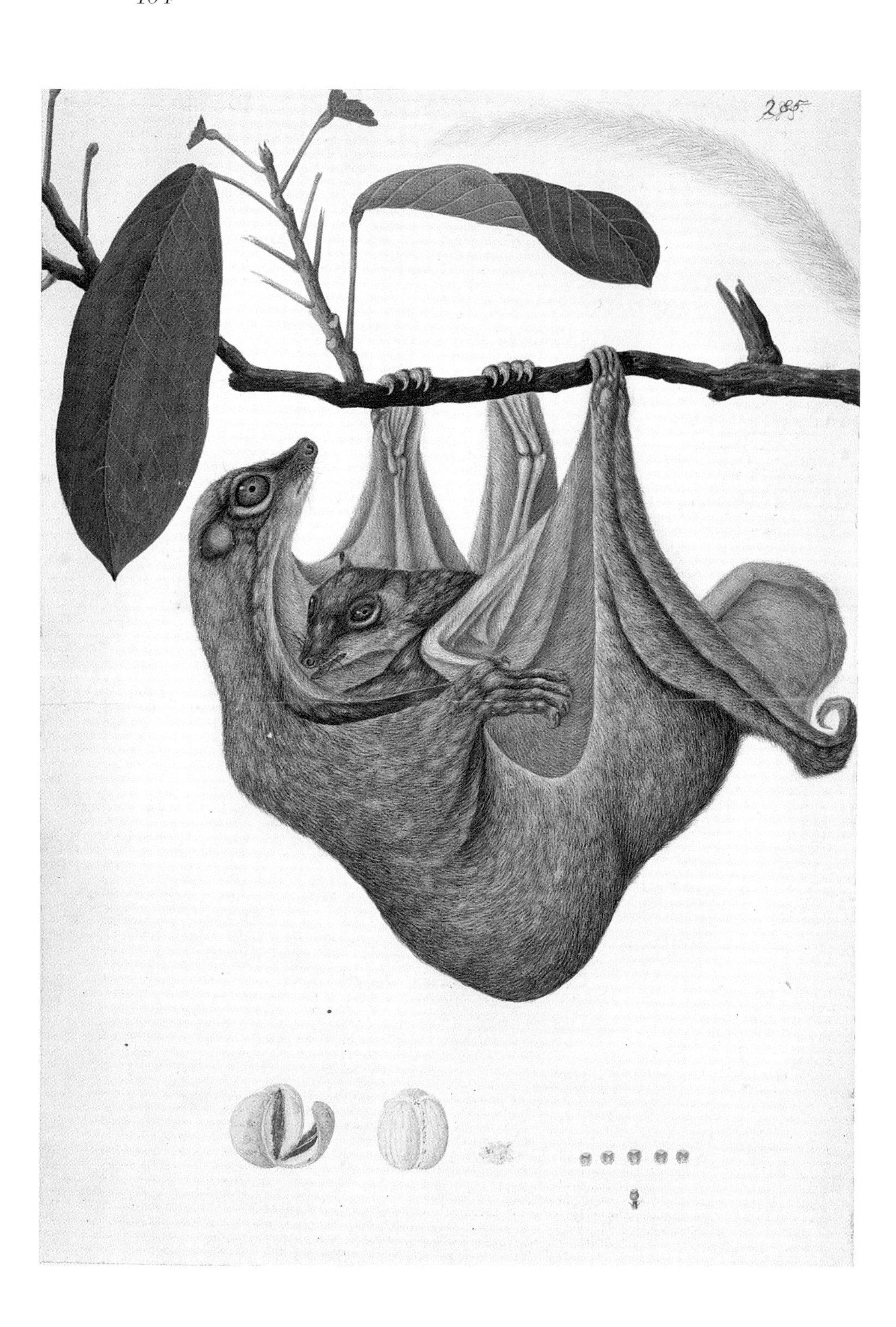

Squirrels from Sumatra
Tupai dari Sumatra

By a Chinese artist. Inscribed in ink: *The Bua-rambe*. Watercolour; 443 × 308 mm; Archer (1962:86), Marsden (1811:Plate IX).
NHD 1, no.18

Musang and squirrel from Sumatra

Musang dan tupai dari Sumatra

By a Chinese artist. Inscribed in ink and pencil: *S.binttalus. The Masang fruit & Moosang Animal*. Watercolour; 464 × 322 mm; Archer (1962:86).
NHD 1, no.19

Mousedeer from Sumatra

Pelanduk dari Sumatra

By a Chinese artist. Inscribed in ink and pencil: *Very small animals not above a foot high. Must be kept down in the Plate. Stautegana. Sumatra, Marsden.* Watercolour; 213 × 310 mm; Archer (1962:86), Marsden (1811:117, Plate XII, n.1). NHD 1, no.8

The tapir sent from Bengkulu to Calcutta in 1816

Adult Sumatran tapir, by an Indian artist, Calcutta, *ca.*1820. Inscribed in pencil: *Tapirus Malayanus – Horsf^d. Zool. No.1.* Watercolour; 373 × 535 mm. Raffles (1821–23:270-2), Maxwell (1909).
Add.Or.4973

In December 1816, G.J.Siddons, Acting British Resident at Fort Marlborough in Bengkulu, sent a live tapir to Calcutta. It had been presented to him as a young animal by the Pangeran of Sungai 'Lamswe', who found it in his ricefields, and, indicating its rarity, Siddons wrote: 'the Pangeran himself is, perhaps, the oldest man living in these districts: He says that he never saw but one other animal of this description, which was when he was about ten years old, and that he has never heard of one being seen since . . . It is of a very lazy habit, but perfectly gentle, and loves to bathe (remaining a very considerable time under water) and to be rubbed or scratched, which he solicits by throwing himself down on his side. He has been in my possession almost three months, during which period he has grown considerably, and his skin has changed from a dusky brown, streaked and spotted with white, to its present appearance'[27] (Maxwell 1908:102).

Four years later, the Bengkulu tapir is drawn here in his new home in India, in the menagerie at Barrackpore, the Governor-General's country retreat outside Calcutta. When Raffles visited Calcutta in 1818, he found the Sumatran tapir alive and well, its taste for aquatic frolics undiminished: 'The living specimen sent from Bencoolen to Bengal was young, and became very tractable. It was allowed to roam occasionally in the park at Barrackpore, and the man who had the charge of it informed me that it frequently entered the ponds, and appeared to walk along the bottom under the water, and not to make any attempt to swim' (Raffles 1821-23:272).

Tapir yang dikirim dari Bengkulu ke Calcutta pada tahun 1816

Pada bulan Desember 1816, G.J.Siddons, Residen Inggris di Fort Marlborough di Bengkulu, mengirimkan seekor tapir hidup ke Calcutta. Tapir itu semula dihadiahkan kepadanya oleh Pangeran Sungai Lamswe, yang menemukannya di sawahnya. Untuk menunjukkan kelangkaan binatang itu, Siddon menulis: 'Pangeran sendiri mungkin adalah orang tertua yang tinggal di daerah ini. Dia mengatakan bahwa dia sendiri baru melihat binatang semacam itu lagi setelah melihatnya untuk pertama kali ketika ia berumur 10 tahun. Sejak itu dia tidak pernah mendengar mengenai dilihatnya binatang itu atau melihatnya sendiri sampai dia melihat binatang ini. Binatang ini tampak malas tetapi lembut dan sangat suka berendam dalam air serta digaruk atau digosok-gosok, yang didapatkannya dengan berbaring miring di tanah. Binatang ini telah saya miliki selama tiga bulan, dan selama waktu itu dia telah tumbuh pesat, dan warna kulitnya telah berubah dari coklat tua berbintik-bintik putih ke warnanya sekarang'[27] (Maxwell 1908:102).

Empat tahun kemudian, tapir Bengkulu itu digambar di tempatnya yang baru di India, di kebun binatang Barrackpore, tempat istirahat Gubernur Jenderal di luar kota Calcutta. Ketika Raffles mengunjungi Calcutta pada tahun 1818, dia menemukan tapir Sumatra itu dalam keadaan sehat, dan kegemaran binatang tersebut pada air tidak hilang: 'Binatang hidup yang dikirim dari Bencoolen ke Bengal ini masih muda dan menjadi sangat jinak. Binatang ini diperbolehkan berjalan-jalan di taman di Barrackpore, dan orang yang bertanggung jawab mengurusnya memberitahu saya bahwa binatang itu sering sekali masuk ke kolam, dan tampak berjalan di dasar kolam tanpa terlihat berusaha untuk berenang' (Raffles 1821–23:272).

Tapirus - Malayanus - Horsf. Zool: No. 1

86 ANAK TAPIR DARI BENGKULU

Young Sumatran tapir, probably by J.Briois, Bengkulu, March 1824, drawn for Raffles after the loss of the *Fame*. Gouache on English paper, 'J Whatman 1816'; 336 × 374 mm; Archer ([n.d.]), Gallop (1994:167).
NHD 47, f.48

APPENDIX I

INDONESIAN ARCHAEOLOGICAL DRAWINGS IN THE BRITISH LIBRARY

LAMPIRAN I

GAMBAR ARKEOLOGIS INDONESIA DI BRITISH LIBRARY

This table contains a complete list of the 510 Indonesian archaeological drawings in the Horsfield and MacKenzie collections in the Oriental and India Office Collections of the British Library of which facsimile reproductions have been presented to the National Library of Indonesia. Full descriptions of most of these drawings can be found in Mildred Archer, *British drawings in the India Office Library*, Vol.2 (London: Her Majesty's Stationery Office, 1969), where the sketches of Indonesian antiquities were identified with the assistance of Prof. Dr. Joan E. van Lohuizen de Leeuw; page references are given in the table. Sizes are in millimetres, height × width. Unless specified otherwise, 'ink' refers to black ink.

Tabel ini menunjukkan suatu daftar lengkap 510 gambar arkeologis Indonesia dari koleksi Horsfield dan MacKenzie dalam Oriental and India Office Collections di British Library yang reproduksi (yang seukuran dengan gambar asli) telah diserahkan kepada Perpustakaan Nasional Republik Indonesia. Penjelasan lengkap mengenai gambar-gambar ini dapat dilihat pada buku karya Mildred Archer yang berjudul *British drawings in the India Office Library*, Jilid 2 (London: Her Majesty's Stationery Office, 1969), dan referensi nomor halaman diberikan dalam tabel ini. Dalam buku ini Archer mengidentifikasikan peninggalan purbakala Indonesia dengan bantuan Prof. Dr. Joan E. van Lohuizen de Leeuw. Ukuran diberikan dalam milimeter, tinggi × lebar. Yang dimaksudkan dengan 'tinta & t.c.' adalah 'tinta dan sapuan kuas tinta cair' (bahasa Inggris *ink and wash*). Warna tinta yang digunakan adalah tinta hitam, kecuali kalau dinyatakan lain.

Nomor inventaris	Gambar	Ukuran (mm)	Bahan	Ref. Archer
MSS.Eur.F.54, f.10	Arca batu, Cibodas, Jabar, oleh A.Payen	185 × 247	pensil	h.450
MSS.Eur.F.54, f.28	Arca batu, Cibodas, Jabar, oleh A.Payen	181 × 104	tinta	h.450
MSS.Eur.F.54, f.32	Kubera (?)	314 × 190	tinta & t.c.	h.450
MSS.Eur.F.54, f.33	Kinara, sebelah sisi	315 × 187	tinta & t.c.	h.450
MSS.Eur.F.54, f.34	Kinara, sebelah depan	315 × 190	tinta & t.c.	h.450
MSS.Eur.F.54, f.38	Arca	329 × 192	pensil	h.450
MSS.Eur.F.54, f.39	Prasen	192 × 329	tinta & t.c.	h.450
MSS.Eur.F.54, f.42	Arca, sebelah depan dan sisi	186 × 316	tinta & t.c.	h.450
MSS.Eur.F.54, f.43	Prasen	186 × 316	tinta & t.c.	h.450
MSS.Eur.F.54, f.44	Prasen, bahagian dalam	328 × 192	pensil	h.450
MSS.Eur.F.54, f.45	Prasen	187 × 315	tinta & t.c.	h.450
MSS.Eur.F.54, f.46	Durga	327 × 195	tinta & t.c.	h.450
MSS.Eur.F.54, f.60	Arca	315 × 184	tinta & t.c.	h.451
MSS.Eur.F.54, f.61	Lonceng	315 × 185	tinta & t.c.	h.451
MSS.Eur.F.54, f.62	Sangkutan	315 × 185	tinta & t.c.	h 451
MSS.Eur.F.54, f.63	Prasen, bertanggal 1262	192 × 329	tinta & t.c.	h.451
MSS.Eur.F.54, f.64	Arca, sebelah depan	315 × 187	tinta & t.c.	h.451
MSS.Eur.F.54, f.65	Arca, sebelah belakang	315 × 187	tinta & t.c.	h.451
MSS.Eur.F.54, f.66	Arca, sebelah sisi	185 × 315	tinta & t.c.	h.451
MSS.Eur.F.54, f.67	Buddha Siam	315 × 185	tinta & t.c.	h.451
MSS.Eur.F.54, f.68	Arca, sebelah sisi	315 × 185	tinta & t.c.	h.451
MSS.Eur.F.54, f.69	Arca, sebelah depan	315 × 185	tinta & t.c.	h.451
MSS.Eur.F.54, f.70	Jambangan Cina	315 × 185	tinta & t.c.	h.451
MSS.Eur.F.54, f.71	Kapak dan *chandramasa*	315 × 185	tinta & t.c.	h.451
MSS.Eur.F.54, f.72	Kapak, sisi yang lain	315 × 185	tinta & t.c.	h.451
MSS.Eur.F.54, f.73	Lonceng	315 × 185	tinta & t.c.	h.451
MSS.Eur.F.54, f.74	Vishnu & Garuda	325 × 190	tinta & t.c.	h.451
MSS.Eur.F.54, f.75	Amoghapasa	325 × 195	tinta & t.c.	h.451
MSS.Eur.F.148/47, f.5	Prasasti Airlangga	382 × 240	cat air	-
MSS.Eur.F.148/47, f.36	Durga, Candi Loro Jonggrang, Prambanan	400 × 247	tinta	-
MSS.Eur.F.148/47, f.37	?Shiva, Candi Loro Jonggrang, Prambanan	400 × 247	tinta	-
MSS.Eur.F.148/47, f.38	2 Buddha; dekat Prambanan & Candi Sewu	400 × 247	tinta	-
MSS.Eur.F.148/47, f.39	Arca pengawal, sebelah sisi, Candi Sewu	400 × 247	tinta	-
MSS.Eur.F.148/47, f.40	Arca pengawal, sebelah depan, Candi Sewu	400 × 247	tinta	-
MSS.Eur.F.148/47, f.41	Tiang dan jambangan bunga, Candi Sewu	400 × 247	tinta	-
MSS.Eur.F.148/47, f.42	Ukiran batu, dekat Prambanan	400 × 247	tinta	-
MSS.Eur.F.148/47, f.43	2 arca, Prambanan	400 × 247	tinta	-
MSS.Eur.F.148/47, f.44	Candi Sajiwan	395 × 250	cat air	-
MSS.Eur.F.148/47, f.45	Candi Sari	395 × 250	cat air	-
MSS.Eur.F.148/47, f.46	2 batu berukir, Candi Sari; batu berukir, Candi Sewu	400 × 247	tinta	-
MSS.Eur.F.148/47, f.47	2 relief kera, Prambanan	400 × 247	tinta	-
MSS.Eur.F.148/47, f.48	2 makara, Prambanan	400 × 247	tinta	-
Mackenzie (Pr) 2, p.93	Pintu barat, Candi Sukuh	328 × 205	tinta	-
Mackenzie (Pr) 2, p.94	Yoni-lingga, Candi Sukuh	328 × 205	tinta	-
Mackenzie (Pr) 2, p.95	Pintu gerbang barat dari sebelah selatan, Candi Sukuh	328 × 205	tinta	-
Mackenzie (Pr) 2, p.97	4 relief, Candi Sukuh	328 × 205	tinta	-
Mackenzie (Pr) 2, p.98	Pancuran, Candi Sukuh	328 × 205	tinta	-
Mackenzie (Pr) 2, p.99	Lingga, Candi Sukuh	328 × 205	tinta	-
Mackenzie (Pr) 2, p.100	Raksasa, Candi Sukuh	328 × 205	tinta	-
Mackenzie (Pr) 2, p.101	Kepala raksasa, Candi Sukuh	328 × 205	tinta	-
Mackenzie (Pr) 2, p.103	Prasasti dari lingga, Candi Sukuh	328 × 205	tinta	-
Mackenzie (Pr) 2, p.106	3 arca dari relief, Candi Sukuh	328 × 205	tinta	-
Mackenzie (Pr) 2, p.107	Vishnu duduk di atas garuda, Candi Sukuh	328 × 205	tinta	-
Mackenzie (Pr) 2, p.110	Garuda, Candi Sukuh	328 × 205	tinta	-

Nomor inventaris	Gambar	Ukuran (mm)	Bahan	Ref. Archer
Mackenzie (Pr) 2, p.111	Relief pemanah dan bendera kera, Candi Sukuh	328 × 205	tinta	-
Mackenzie (Pr) 2, p.113	3 arca, Candi Sukuh	328 × 205	tinta	-
Mackenzie (Pr) 2, p.115	Gajah, Candi Sukuh	328 × 205	tinta	-
Mackenzie (Pr) 2, p.117	Arca wanita & raksasa bermasturbasi, Candi Sukuh	328 × 205	tinta	-
Mackenzie (Pr) 2, p.119	Relief pandai besi, Candi Sukuh	322 × 200	tinta	-
Mackenzie (Pr) 2, p.121	Arca pengawal di atas bukit dekat Borobudur	322 × 200	tinta	-
Mackenzie (Pr) 2, p.122	Arca, sebelah sisi, Banyumas	322 × 200	tinta	-
Mackenzie (Pr) 2, p.123	Candi Sajiwan	322 × 200	tinta	-
Mackenzie (Pr) 82, p.21	Arca, Banyumas; pancuran & relief, Candi Sukuh	391 × 243	tinta	-
WD 899 (13)	Prasasti, Batu Tulis, Jabar	453 × 343	cat air	h.500
WD 900 (14)	Arca, Batu Tulis, Jabar	296 × 473	cat air	h.501
WD 901 (15)	Peta 3 tempat peninggalan lama, Bogor, Jabar	467 × 278	cat air	h.501
WD 902 (16)	Peta tempat peninggalan Pajajaran, Bogor, Jabar	456 × 282	cat air	h.501
WD 903 (17a)	Peta tempat peninggalan Pajajaran, Bogor, Jabar	461 × 297	cat air	h.501
WD 904 (17b)	Peta tempat peninggalan lama, Bogor, Jabar	480 × 293	cat air	h.501
WD 905 (18)	Denah Candi Sewu, Prambanan, Jateng	520 × 706	tinta & t.c.	h.502
WD 906 (19)	Denah Candi Sewu, Prambanan, Jateng	473 × 297	tinta & t.c. merah muda	h.502
WD 907 (20)	Denah Candi Sewu, Prambanan, Jateng	456 × 295	tinta & t.c. merah muda	h.502
WD 908 (21)	Reruntuhan candi, Jateng/Jatim	329 × 495	cat air	h.502
WD 909 (22)	Candi Jabung dari sebelah barat, Jatim	327 × 488	cat air	h.502
WD 910 (23)	Candi Singasari, Jatim	328 × 487	cat air	h.503
WD 911 (24)	Candi Singasari, Jatim	313 × 560	pensil	h.503
WD 912 (25)	Perwira Eropa dan candi, ?Jatim	263 × 400	cat air	h.503
WD 913 (26)	Candi Jabung dari sebelah selatan, Jatim	276 × 379	cat air	h.503
WD 914 (27)	Candi Jabung dari sebelah selatan, Jatim	386 × 250	pensil & tinta	h.503
WD 915 (28)	Gapura makam Maulana Malik Ibrahim, Gresik	494 × 375	tinta & t.c.	h.503
WD 916 (29)	Makam Sunan Giri, Gresik, Jatim	500 × 395	tinta & t.c.	h.503
WD 917 (30)	Makam Sunan Giri, Gresik, Jatim	428 × 376	tinta & t.c. kuning	h.503
WD 918 (31)	Gapura makam Sunan Giri, Gresik	422 × 348	tinta & t.c. kuning	h.504
WD 919 (32)	Makam Maulana Malik Ibrahim, Gresik, Jatim	390 × 514	tinta & t.c. kuning	h.504
WD 920 (33)	Makam Maulana Malik Ibrahim, Gresik, Jatim	393 × 523	tinta & t.c. kuning	h.504
WD 921 (34)	Keris Sunan Giri, Jatim	298 × 461	tinta & t.c.	h.504
WD 922 (35)	Makam Puteri Cermin, Gresik, Jatim	420 × 268	tinta & t.c.	h.504
WD 923 (36)	Makam keluarga Puteri Cermin, Gresik, Jatim	425 × 270	tinta & t.c.	h.504

Nomor inventaris	Gambar	Ukuran (mm)	Bahan	Ref. Archer
WD 924 (37)	Makam Puteri Cermin, Gresik, Jatim	410 × 323	tinta & t.c.	h.504
WD 925 (38)	Makam keluarga Puteri Cermin, Gresik, Jatim	423 × 350	tinta & t.c.	h.504
WD 926 (39)	Makam Maulana Malik Ibrahim, Gresik, Jatim	426 × 545	tinta & t.c. kuning	h.505
WD 927 (40)	Gapura makam Maulana Malik Ibrahim, Gresik	350 × 418	tinta & t.c.	h.505
WD 928 (41)	Candi kecil, ?Jatim	250 × 397	tinta & t.c.	h.505
WD 929 (42)	Candi kecil, ?Jatim, & 2 orang Eropa	251 × 310	cat air	h.505
WD 930 (43)	Dinding runtuh, Majapahit, Jatim	240 × 376	pensil	h.505
WD 931 (44)	Dinding runtuh, Majapahit, Jatim	240 × 367	pensil & t.c.	h.505
WD 932 (45)	Klenteng Sentiong, Gunung Sari, Jakarta	290 × 219	pensil	h.505
WD 933 (46)	Gapura	268 × 402	tinta & t.c.	h.505
WD 934 (47)	Prasasti Jawa pada makam Cermin, Jatim	309 × 210	tinta	h.505
WD 935 (48)	Saraswati, Solo, Jateng	200 × 123	tinta & t.c.	h.506
WD 936 (49)	Saraswati, Solo, Jateng	197 × 121	tinta & t.c.	h.506
WD 937 (50)	Padmapani	290 × 223	tinta & t.c.	h.506
WD 938 (51)	Padmapani, Buddha & Bodhisattwa	290 × 228	tinta & t.c.	h.506
WD 939 (52)	Padmapani	248 × 194	tinta & t.c.	h.506
WD 940 (53)	3 tangkai cermin	230 × 288	tinta & t.c.	h.506
WD 941 (54)	Tangkai cermin	246 × 186	tinta & t.c.	h.506
WD 942 (55)	Tangkai cermin	240 × 186	tinta & t.c.	h.506
WD 943 (56)	Prasen (wadah zodiak terbuat dari perunggu)	236 × 743	tinta & t.c.	h.506
WD 944 (57)	Buddha	239 × 293	tinta & t.c.	h.506
WD 945 (58)	Trimurti	298 × 235	tinta & t.c.	h.506
WD 946 (59)	Arca	241 × 300	tinta & t.c.	h.506
WD 947 (60)	Dewa, dari sebelah belakang	290 × 230	tinta & t.c.	h.507
WD 948 (61)	Arca harimau dengan tulisan Jawa	407 × 254	tinta	h.507
WD 949 (62)	Dewa	296 × 197	tinta & t.c.	h.507
WD 950 (63)	2 keris & 2 tombak	478 × 294	cat air	h.507
WD 951 (64)	Piala batu Gresik, Jatim	478 × 294	tinta & t.c. coklat	h.507
WD 952 (65)	Piala batu Gresik, Jatim	478 × 294	tinta & t.c. coklat	h.507
WD 953, f.1v (1)	3 arca, Batu Tulis, Jabar	261 × 390	tinta & t.c.	h.538
WD 953, f.2 (2)	Arca batu, Arcadomas, Jabar	262 × 418	tinta & t.c. coklat	h.538
WD 953, f.3 (3)	Arca batu, Arcadomas, Jabar	262 × 418	tinta & t.c.	h.539
WD 953, f.4 (4)	Arca batu, Arcadomas, Jabar	442 × 280	tinta & t.c.	h.539
WD 953, f.5 (5)	Arca batu, Arcadomas, Jabar	442 × 280	tinta & t.c.	h.539
WD 953, f.7 (6)	Dhyani Buddha, Klenteng Sentiong, Jakarta	443 × 270	tinta & t.c. biru	h.539
WD 953, f.8 (7)	Vishnu & Durga, Klenteng Sentiong, Jakarta	443 × 270	tinta & t.c. coklat	h.539
WD 953, f.9 (8)	3 arca, Klenteng Sentiong, Jakarta	443 × 270	tinta & t.c. coklat	h.539
WD 953, f.10 (9)	Dhyani Buddha	443 × 270	tinta & t.c. biru	h.539
WD 953, f.11 (10)	Nairta & Kubera, Singasari, Jatim	443 × 270	tinta & t.c. coklat	h.539
WD 953, f.12 (11)	Bodhisattva	443 × 270	tinta & t.c. coklat	h.539
WD 953, f.13 (12)	Shiva Guru & Ganesha	443 × 270	tinta & t.c. coklat	h.539
WD 953, f.14 (13)	Jambangan batu besi dari Cina, Jakarta	273 × 433	tinta	h.539
WD 953, f.15 (14)	Sisi jambangan batu besi dari Cina, Jakarta	432 × 277	tinta	h.539

Nomor inventaris	Gambar	Ukuran (mm)	Bahan	Ref. Archer
WD 953, f.16 (15)	Manjushri, Candi Jago, Jatim	443 × 285	tinta & t.c.	h.540
WD 953, f.17 (16)	Ganesha, Singasari, Jatim	438 × 283	tinta & t.c.	h.539
WD 953, f.18 (17)	Durga, Singasari, Jatim	440 × 287	tinta & t.c.	h.540
WD 953, f.19 (18)	Nandi, Singasari, Jatim	287 × 440	tinta & t.c.	h.540
WD 953, f.20 (19)	Nandishvara, Singasari, Jatim	438 × 280	tinta & t.c.	h.540
WD 953, f.21 (20)	Mahakala, Singasari, Jatim	440 × 280	tinta & t.c.	h.540
WD 953, f.22 (21)	Saraswati, Solo, sebelah depan	388 × 250	tinta & t.c.	h.540
WD 953, f.23 (22)	Saraswati, Solo, sebelah sisi	388 × 250	tinta & t.c.	h.540
WD 953, f.24 (23)	Brahma, Solo & kereta dewa matahari, Singasari, Jatim	443 × 288	tinta & t.c.	h.540
WD 953, f.25 (24)	Prasen	250 × 388	tinta & t.c.	h.540
WD 953, f.26 (25)	Prasen bertanggal	250 × 388	tinta & t.c.	h.540
WD 953, f.26v (26)	Durga, Prambanan, Jateng	438 × 283	tinta & t.c. kuning	h.541
WD 953, f.27 (27)	Shiva Guru, Prambanan, Jateng	438 × 285	tinta & t.c.	h.541
WD 953, f.28 (28)	Dhyani Buddha, Prambanan, Jateng	435 × 277	tinta & t.c.	h.541
WD 953, f.29 (29a)	Arca pengawal, Candi Sewu, Jateng	440 × 286	tinta & t.c.	h.541
WD 953, f.30 (29b)	Arca pengawal, Candi Sewu, Jateng	440 × 286	tinta & t.c.	h.541
WD 953, f.31 (30)	Dhyani Buddha, Candi Sewu, Jateng	440 × 282	tinta & t.c.	h.541
WD 953, f.32 (31)	Gapura, Candi Sewu, Jateng	435 × 287	tinta & t.c.	h.541
WD 953, f.33 (32)	Ukiran, Candi Lumbung, Jateng	440 × 260	tinta & t.c.	h.541
WD 953, f.34 (33)	Ukiran batu, Candi Sewu, Jateng	285 × 438	tinta & t.c.	h.541
WD 953, f.35 (34)	?Boddhisatva, Prambanan, Jateng	442 × 283	tinta & t.c.	h.541
WD 953, f.36 (35)	Arca pengawal, Candi Sewu, Jateng	438 × 285	tinta	h.542
WD 953, f.36 (36)	Candi Sajiwan, Jateng	388 × 250	cat air	h.542
WD 953, f.37 (37)	Candi Sari, Jateng	250 × 395	cat air	h.542
WD 953, f.38 (38)	2 arca perempuan, Candi Sari, Jateng	280 × 445	tinta & t.c.	h.542
WD 953, f.39 (39)	Kera, Candi Loro Jonggrang, Jateng	273 × 442	tinta & t.c.	h.542
WD 953, f.39v (40)	2 makara, Prambanan, Jateng	440 × 270	tinta & t.c.	h.542
WD 953, f.40 (41)	Bhima	202 × 132	tinta	h.542
WD 953, f.40 (42)	Arca, Probolinggo, Jatim	200 × 135	pensil	h.542
WD 953, f.40 (43)	Shiva & Buddha, Probolinggo, Jatim	194 × 252	tinta & t.c.	h.542
WD 953, f.40va (44)	Arca, Surabaya, Jatim	124 × 172	tinta & t.c.	h.542
WD 953, f.40vb (45)	Shiva, Bangil, Jatim	312 × 250	tinta & t.c.	h.543
WD 953, f.41 (46)	5 arca termasuk Shiva & Bhima, Jatim	250 × 394	tinta & t.c.	h.543
WD 953, f.41v (47)	Shiva, Bhima & arca berkepala empat, Bangil, Jatim	248 × 370	tinta & t.c.	h.543
WD 953, f.42 (48)	Raksasa, Majapahit, Jatim	388 × 250	tinta & t.c.	h.543
WD 953, f.42v (49)	4 ukiran, Candi Gunung Gansir, Jatim	245 × 395	tinta & t.c.	h.543
WD 953, f.43 (50)	4 ukiran, Candi Gunung Gansir, Jatim	247 × 394	tinta & t.c.	h.543
WD 953, f.43v (51)	Candi Gunung Gansir, Jatim	395 × 251	cat air	h.543
WD 953, f.44 (52)	Candi Gunung Gansir, Jatim	395 × 252	cat air	h.543
WD 953, f.45 (53)	Arca logam, Surabaya, Jatim	440 × 270	tinta & t.c. kuning	h.543
WD 953, f.46 (54)	Arca dengan pohon perunggu, Sunpang, Jatim	437 × 270	tinta & t.c. kuning	h.543
WD 953, f.47 (55)	Vishnu, Surabaya, Jatim	440 × 287	tinta & t.c.	h.543
WD 953, f.48 (56)	Durga	437 × 283	tinta & t.c.	h.544
WD 953, f.49 (57)	Arca pengawal, Singasari, Jatim	230 × 375	tinta & t.c.	h.544
WD 953, f.49v (58)	Shiva Guru & Ganesha, Surabaya, Jatim	440 × 256	tinta & t.c.	h.544
WD 953, f.50 (59)	3 arca pengawal, Bali	250 × 389	tinta & t.c.	h.544
WD 953, f.51 (60)	Naga, Banyuwangi, Jatim	250 × 390	tinta & t.c.	h.544
WD 953, f.52 (61)	2 arca, Banyuwangi, Jatim	250 × 390	tinta & t.c.	h.544
WD 953, f.53 (62)	3 arca, Macan Putih, Jatim	250 × 390	tinta & t.c.	h.544

Nomor inventaris	Gambar	Ukuran (mm)	Bahan	Ref. Archer
WD 953, f.54 (63)	Arca, Garuda & snake	390 × 250	tinta & t.c.	h.544
WD 953, f.55 (64)	2 arca, Banyuwangi, Jatim	253 × 388	tinta & t.c.	h.544
WD 953, f.56 (65)	2 arca, Banyuwangi, Jatim	247 × 389	tinta & t.c.	h.544
WD 953, f.57 (66)	Arca, Macan Putih, Jatim	336 × 212	tinta & t.c.	h.544
WD 953, f.57v (67)	Arca, Solo, Jateng	318 × 205	pensil & tinta coklat	h.545
WD 953, f.58 (68)	Arca, Solo, Jateng	392 × 251	tinta	h.545
WD 953, f.59 (69)	Dhyani Buddha, Madura	377 × 270	t.c. coklat	h.545
WD 953, f.60 (70)	Dhyani Buddha, Madura	247 × 283	tinta & t.c.	h.545
WD 953, f.60v (71)	Arca, Madura	380 × 272	t.c. coklat	h.545
WD 953, f.61 (72)	Arca, Madura	375 × 270	t.c. coklat	h.545
WD 953, f.63 (73)	Shiva Guru, Sumenep, Madura	387 × 253	tinta & t.c.	h.545
WD 953, f.64 (74)	Arca, Madura	377 × 273	brown t.c.	h.545
WD 953, f.65 (75)	Vishnu, Madura	375 × 275	brown t.c.	h.545
WD 953, f.66 (76)	Tiang berukir, Tuban, Jatim	387 × 252	tinta & t.c. coklat	h.545
WD 953, f.67 (81)	Ukiran makam, Mantingan, Jateng	396 × 255	tinta & t.c.	h.546
WD 953, f.67v	Ukiran dan prasasti makam, Mantingan	396 × 255	pensil	h.546
WD 953, f.68 (82)	Makam, Mantingan, Jateng	396 × 255	pensil	h.546
WD 953, f.69 (77)	Ukiran kayu, Tuban, Jatim	387 × 252	tinta & t.c. coklat	h.545
WD 953, f.70 (78)	Makam Susuhunan, Mantingan, Jateng	252 × 389	tinta & t.c.	h.545
WD 953, f.71 (79)	Tiang, Porwato, Kudus, Jateng	296 × 250	t.c. abu-abu	h.545
WD 953, f.72 (80a)	Reruntuhan, Jateng	230 × 190	tinta & t.c.	h.546
WD 953, f.72 (80b)	Reruntuhan, Jateng	230 × 192	tinta & t.c.	h.546
WD 953, f.73 (83)	Ukiran batu, Kudus, Jateng	250 × 386	tinta & t.c.	h.546
WD 953, f.73v (84)	Prasasti, Kudus, Jateng	250 × 382	tinta & t.c.	h.546
WD 953, f.74 (85)	Ukiran batu, Mantingan, Jateng	257 × 396	tinta & t.c.	h.546
WD 953, f.83 (94)	Prasasti batu, Malang, Jatim	249 × 420	cat air	h.546
WD 953, f.84 (95)	Arca, Batu Tulis, Jabar	270 × 450	cat air	h.547
WD 954, f.7 (1)	Arca, Batu Tulis, Jabar	423 × 263	tinta & t.c.	h.548
WD 954, f.8 (2)	Arca batu, Arcadomas, Jabar	423 × 263	cat air	h.548
WD 954, f.9 (3)	Arca batu, Arcadomas, Jabar	423 × 263	tinta & t.c.	h.548
WD 954, f.10 (4)	Jambangan batu besi dari Cina, Jakarta	423 × 263	tinta & t.c.	h.548
WD 954, f.11 (5)	Sisi jambangan batu besi dari Cina, Jakarta	423 × 263	tinta & t.c.	h.548
WD 954, f.12 (6)	Arca batu, Arcadomas, Jabar	423 × 263	tinta & t.c.	h.548
WD 954, f.13 (7)	Arca batu, Arcadomas, Jabar	423 × 263	tinta & t.c.	h 548
WD 954, f.14 (8)	Dhyani Buddha, Klenteng Sentiong, Jakarta	423 × 263	tinta & t.c.	h.548
WD 954, f.15 (9)	Vishnu & Durga, Klenteng Sentiong, Jakarta	423 × 263	tinta & t.c.	h.548
WD 954, f.16 (10)	3 arca, Klenteng Sentiong, Jakarta	423 × 263	tinta & t.c.	h.548
WD 954, f.17 (11)	Dhyani Buddha & Bodhisattva	423 × 263	tinta & t.c.	h.548
WD 954, f.18 (12)	Nairta & Kubera, Singasari, Jatim	423 × 263	tinta & t.c.	h.548
WD 954, f.19 (13)	Shiva Guru & Ganesha, Semarang	423 × 263	tinta & t.c.	h.548
WD 954, f.21 (14)	Manjushri, Candi Jago, Jatim	423 × 263	tinta & t.c.	h.548
WD 954, f.22 (15)	Ganesha, Singasari, Jatim	423 × 263	tinta & t.c.	h.548
WD 954, f.23 (16)	Durga, Singasari, Jatim	423 × 263	tinta & t.c.	h.548
WD 954, f.24 (17)	Nandi, Singasari, Jatim	423 × 263	tinta & t.c.	h.548
WD 954, f.25 (18)	Bhairava, Semarang	423 × 263	tinta & t.c.	h.549
WD 954, f.26 (19)	Nandishvara, Singasari, Jatim	423 × 263	tinta & t.c.	h.549
WD 954, f.27 (20)	Mahakala, Singasari, Jatim	423 × 263	tinta & t.c.	h.549
WD 954, f.28 (21)	Saraswati, sebelah depan dan sisi, Solo, Jateng	423 × 263	tinta & t.c.	h.549

Nomor inventaris	Gambar	Ukuran (mm)	Bahan	Ref. Archer
WD 954, f.29 (22)	Brahma, Solo & kereta dewa matahari, Singasari, Jatim	423 × 263	tinta & t.c.	h.549
WD 954, f.30 (23)	Prasen	423 × 263	tinta & t.c.	h.549
WD 954, f.31 (24)	Prasen bertanggal	423 × 263	tinta & t.c.	h.549
WD 954, f.32 (25)	Arca, Solo, Jateng	423 × 263	tinta & t.c.	h.549
WD 954, f.35 (26)	Durga, Prambanan, Jateng	423 × 263	tinta & t.c.	h.549
WD 954, f.36 (27)	Shiva Guru, Prambanan, Jateng	423 × 263	tinta & t.c.	h.549
WD 954, f.37 (28)	Dhyani Buddha, Prambanan, Jateng	423 × 263	tinta & t.c.	h.549
WD 954, f.38 (29)	Arca pengawal, Candi Sewu, Jateng	423 × 263	tinta & t.c.	h.549
WD 954, f.39 (30)	Arca pengawal, Candi Sewu, Jateng	423 × 263	tinta & t.c.	h.549
WD 954, f.40 (31)	Dhyani Buddha, Candi Sewu, Jateng	423 × 263	tinta & t.c.	h.549
WD 954, f.41 (32)	Gapura, Candi Sewu, Jateng	423 × 263	tinta & t.c.	h.549
WD 954, f.42 (33)	Ukiran, Candi Lumbung, Jateng	423 × 263	tinta & t.c.	h.549
WD 954, f.43 (34)	Ukiran batu, Candi Sewu, Jateng	423 × 263	tinta & t.c.	h.549
WD 954, f.44 (35)	?Boddhisatva, dekat Prambanan, Jateng	423 × 263	tinta & t.c.	h.549
WD 954, f.45 (36)	Arca pengawal, Candi Sewu, Jateng	423 × 263	tinta & t.c.	h.549
WD 954, f.46 (37)	Candi Sajiwan	423 × 263	cat air	h.549
WD 954, f.47 (38)	Candi Sari, Jateng	423 × 263	cat air	h.549
WD 954, f.48 (39)	2 arca wanita, Candi Sari, Jateng	423 × 263	tinta & t.c.	h.549
WD 954, f.49 (40)	Kera, Candi Loro Jonggrang, Jateng	423 × 263	tinta & t.c.	h.549
WD 954, f.50 (41)	2 makara, Prambanan, Jateng	423 × 263	tinta & t.c.	h.549
WD 954, f.52 (42)	Candi di kompleks Loro Jonggrang, Jateng	400 × 500	tinta & t.c.	h.549
WD 954, f.53v-54 (43)	Candi di kompleks Loro Jonggrang, Jateng	400 × 500	tinta & t.c.	h.549
WD 954, f.55v-56 (44)	Candi besar di Prambanan, Jateng	400 × 500	tinta & t.c.	h.549
WD 954, f.58 (45)	Candi di kompleks Loro Jonggrang, Jateng	400 × 500	tinta & t.c.	h.549
WD 954, f.59 (46)	2 arca, Banyuwangi, Jatim	423 × 263	tinta & t.c.	h.549
WD 954, f.60 (47)	2 arca, Banyuwangi, Jatim	423 × 263	tinta & t.c.	h.549
WD 954, f.61 (48)	Arca dari Macan Putih & Banyuwangi, Jatim	423 × 263	tinta & t.c.	h.549
WD 954, f.62 (49)	Arca, garuda & ular	423 × 263	tinta & t.c.	h.549
WD 954, f.63 (50)	Arca dari Macan Putih & Banyuwangi, Jatim	423 × 263	tinta & t.c.	h.549
WD 954, f.64 (51)	Naga, Banyuwangi, Jatim	423 × 263	tinta & t.c.	h.549
WD 954, f.65 (52)	3 arca pengawal, Bali	423 × 263	tinta & t.c.	h.549
WD 954, f.67 (53)	Shiva, Buddha & arca, Probolinggo, Jatim	423 × 263	tinta & t.c.	h.550
WD 954, f.68 (54)	Shiva & Buddha, Probolinggo, Jatim	423 × 263	tinta & t.c.	h.550
WD 954, f.69 (55)	Vishnu, Surabaya, Jatim	423 × 263	tinta & t.c.	h.550
WD 954, f.70 (56)	Durga	423 × 263	tinta & t.c.	h.550
WD 954, f.71 (57)	Shiva, Bangil, Jatim	423 × 263	tinta & t.c.	h.550
WD 954, f.72 (58)	5 arca termasuk Shiva & Bhima, Jatim	423 × 263	tinta & t.c.	h.550
WD 954, f.73 (59)	Bhima & arca lain, Bangil, Jatim	423 × 263	tinta & t.c.	h.550
WD 954, f.75 (61)	Arca dengan pohon perunggu, Sunpang, Jatim	423 × 263	tinta & t.c. coklat	h.550
WD 954, f.77 (62)	Raksasa, Majapahit, Jatim	423 × 263	tinta & t.c.	h.550
WD 954, f.78 (63)	4 batu berukir, Candi Gunung Gansir, Jatim	423 × 263	tinta & t.c.	h.550
WD 954, f.79 (64)	4 batu berukir, Candi Gunung Gansir, Jatim	423 × 263	tinta & t.c.	h.550

Nomor inventaris	Gambar	Ukuran (mm)	Bahan	Ref. Archer
WD 954, f.80 (65)	Shiva Guru & Ganesha, Sumenep, Madura	423 × 263	tinta & t.c.	h.550
WD 954, f.81 (66)	Dhyani Buddha, Madura, dan arca lain	423 × 263	tinta & t.c.	h.550
WD 954, f.82 (67)	Dhyani Buddha, Madura	423 × 263	tinta & t.c. coklat	h.550
WD 954, f.83 (68)	Arca, Madura	423 × 263	tinta & t.c. coklat	h.550
WD 954, f.84 (69)	Arca, Madura	423 × 263	tinta & t.c. coklat	h.550
WD 954, f.85 (70)	Vishnu, Madura	423 × 263	tinta & t.c. coklat	h.550
WD 954, f.86 (71)	Arca, Madura	423 × 263	tinta & t.c. coklat	h.550
WD 954, f.87 (72)	Ukiran kayu, Tuban, Jatim	423 × 263	tinta & t.c.	h.550
WD 954, f.88 (73)	Tiang berukir, Tuban, Jatim	423 × 263	tinta & t.c.	h.550
WD 954, f.89 (74)	Tiang, Purwato, Kudus, Jateng	423 × 263	tinta & t.c.	h.550
WD 954, f.90 (75)	Reruntuhan, Jateng	423 × 263	tinta & t.c.	h.550
WD 954, f.91 (76)	Reruntuhan, Jateng	423 × 263	tinta & t.c.	h.550
WD 954, f.92 (77)	Ukiran makam, Mantingan, Jateng	423 × 263	tinta & t.c.	h.550
WD 954, f.93 (78)	Ukiran batu, Mantingan, Jateng	423 × 263	tinta & t.c.	h.550
WD 954, f.94 (79)	Makam Susuhunan, Mantingan, Jateng	423 × 263	tinta & t.c.	h.550
WD 954, f.95 (80)	Ukiran batu, Kudus, Jateng	423 × 263	tinta & t.c.	h.550
WD 954, f.96 (81)	Prasasti, Kudus, Jateng	423 × 263	tinta & t.c.	h.550
WD 954, f.97 (82)	Lingga, Tuban, Jatim	185 × 248	tinta & t.c.	h.550
WD 955, f.78 (1)	Dhyani Buddha	195 × 294	tinta & t.c. coklat	h.551
WD 955, f.79 (2)	Nandishvara	195 × 294	tinta & t.c. coklat	h.551
WD 955, f.80 (3)	Ganesha	195 × 294	tinta & t.c. coklat	h.551
WD 955, f.91 (10)	Kereta dewa matahari, Ungaran, Jateng	195 × 325	tinta & pensil	h.551
WD 955, f.92 (11)	Kereta dewa matahari, Ungaran, Jateng	195 × 325	pensil	h.551
WD 955, f.93 (12)	Durga	195 × 325	tinta & t.c.	h.551
WD 955, f.94 (13)	Dewi	195 × 325	pensil & t.c.	h.551
WD 955, f.95 (14)	Ganesha	195 × 300	tinta & t.c.	h.552
WD 955, f.96 (15)	Brahma	195 × 325	tinta & t.c.	h.552
WD 955, f.97 (16)	Shiva Guru & Vishnu	195 × 325	pensil	h.552
WD 956, f.9 (11)	Reruntuhan di hutan, Java	236 × 331	cat air	h.452
WD 956, f.19 (21)	Candi Singasari, Jatim	350 × 480	pensil	h.453
WD 956, f.21 (24)	Candi Jabung, Jatim	291 × 462	pensil	h.453
WD 956, f.33 (37)	Makam, mungkin dekat Gresik, Jatim	203 × 347	cat air	h.453
WD 956, f.34 (38)	Makam, mungkin dekat Gresik, Jatim	209 × 355	tinta	h.453
WD 957, f.1 (82)	Pembersihan Candi Sewu, Jateng	350 × 470	cat air	h.455
WD 957, f.2 (92)	Candi Panataran, Jatim	322 × 610	pensil	h.455
WD 957, f.3 (93)	Candi Tigawangi, Jatim	408 × 580	pensil	h.455
WD 957, f.4 (94)	Candi, Jatim	405 × 522	pensil	h.455
WD 957, f.5 (95)	Borobudur, Jateng	295 × 461	pensil	h.455
WD 957, f.6 (96)	Borobudur, Jateng	318 × 490	pensil	h.455
WD 957, f.7 (97)	Candi Sewu, Prambanan, Jateng	457 × 540	pensil	h.455
WD 957, f.8 (98)	Candi Sari, Jateng	316 × 440	pensil	h.455
WD 957, f.9 (99)	Candì Sari & Horsfield, Jateng	318 × 390	pensil	h.455
WD 957, f.10 (100)	Candi, Ungaran, Jateng	260 × 400	tinta & t.c.	h.456
WD 957, f.11 (101)	Sebuah candi kecil, Candi Sewu, Jateng	380 × 302	pensil	h.456
WD 957, f.12 (102)	Candi Kalasan, Jateng	370 × 290	pensil	h.456
WD 957, f.13 (103)	Candi induk, Candi Sewu, Jateng	400 × 331	tinta & t.c.	h.456
WD 957, f.14 (104)	Candi kecil, Candi Sewu, Jateng	304 × 425	pensil	h.456
WD 957, f.15 (105)	Candi batu bata, Jatim	490 × 382	pensil	h.456
WD 957, f.16 (106)	Candi, Jatim	522 × 418	pensil	h.456
WD 957, f.17 (107)	Candi, Jatim	300 × 438	pensil	h.456
WD 957, f.18 (108)	Candi Singasari, Jatim	293 × 367	tinta & t.c.	h.456
WD 957, f.19 (109)	Candi, Jatim	360 × 245	pensil	h.456

Nomor inventaris	Gambar	Ukuran (mm)	Bahan	Ref. Archer
WD 957, f.20 (110)	Candi Panataran, Jatim	369 × 270	pensil	h.456
WD 957, f.21 (111)	Candi Singasari, Jatim	293 × 367	tinta & t.c.	h.456
WD 957, f.22 (112)	Candi Singasari, Jatim	311 × 254	pensil	h.456
WD 957, f.23 (113)	Candi Jabung, Jatim	332 × 202	pensil	h.456
WD 957, f.24 (114)	Candi Jabung, Jatim	320 × 200	pensil	h.456
WD 957, f.25 (115)	Candi Singasari, Jatim	380 × 243	tinta & t.c.	h.456
WD 957, f.26 (116)	Candi, ?Jateng	250 × 381	tinta & t.c.	h.456
WD 957, f.27 (117)	Candi Arjuna, Srikandi & Semar, Dieng, Jateng	252 × 408	tinta & t.c.	h.456
WD 957, f.28 (118)	Candi kecil, Candi Sewu, Dieng, Jateng	238 × 352	tinta & t.c.	h.456
WD 957, f.29 (119)	Candi Siva, Jateng	257 × 379	tinta & t.c.	h.456
WD 957, f.30 (120)	2 candi, ?Dieng, Jateng	271 × 493	tinta & t.c.	h.456
WD 957, f.31 (121)	Candi Srikandi, Dieng, Jateng	402 × 301	tinta & t.c. biru	h.456
WD 957, f.32 (122)	Gua Selamangleng, Kediri, Jatim	333 × 480	pensil	h.456
WD 957, f.33 (123)	Gua Selamangleng, Kediri, Jatim	320 × 462	pensil	h.456
WD 957, f.34 (124)	Gua Selamangleng, Kediri, Jatim	382 × 488	pensil	h.456
WD 957, f.35 (125)	Gua Selamangleng, Kediri, Jatim	382 × 488	pensil	h.456
WD 957, f.36 (128)	Buddha, Borobudur, Jateng	260 × 425	pensil	h.457
WD 957, f.37 (129)	Pancuran & pemandian, Jatim	230 × 355	pensil	h.457
WD 957, f.38 (130)	Pemandian, Jatim	263 × 432	pensil	h.457
WD 957, f.39 (131)	Candi Sewu, Prambanan, Jateng	233 × 338	pensil	h.457
WD 957, f.40 (132)	Pemandian, Jatim	277 × 361	pensil	h.457
WD 957, f.41 (133)	Makam di Giri, dekat Gresik, Jatim	216 × 350	tinta & t.c.	h.457
WD 957, f.45 (137)	Makam di Giri, Jatim	214 × 255	pensil	h.457
WD 957, f.45 (138)	Gapura, makam di Giri, Jatim	205 × 255	tinta & t.c.	h.457
WD 957, f.46 (139)	Bangunan, makam di Giri, Jatim	187 × 325	pensil	h.457
WD 957, f.46 (140)	Bangunan, makam di Giri, Jatim	185 × 325	pensil	h.457
WD 958, f.2v (176)	Manjushri, Candi Plaosan, Jateng	232 × 188	pensil	h.458
WD 958, f.2v (177)	Kubera	193 × 130	tinta & t.c.	h.458
WD 958, f.2v (178)	Shiva, Prambanan, Jateng	191 × 198	pensil	h.458
WD 958, f.2v (179)	Surya, Prambanan, Jateng	223 × 136	pensil	h.458
WD 958, f.3 (180)	Shiva Guru dan Vishnu	196 × 311	tinta & t.c.	h.458
WD 958, f.3 (181)	Dewi	238 × 178	tinta & t.c.	h.458
WD 958, f.3 (182)	Dewi	199 × 155	tinta & t.c.	h.458
WD 958, f.3v (183)	Shiva, Lumajang, Jatim	255 × 195	tinta & t.c.	h.458
WD 958, f.3v (184)	Brahma	163 × 202	tinta & t.c.	h.458
WD 958, f.4 (185)	Shiva, Jatim	132 × 165	pensil	h.458
WD 958, f.4 (186)	Singa, mungkin dari Borobudur, Jateng	132 × 147	pensil	h.458
WD 958, f.4 (187)	Singa, ?Sukuh, Jateng	187 × 147	tinta & t.c.	h.458
WD 958, f.4 (188)	Nandi, Singasari, Jatim	148 × 307	tinta & t.c.	h.458
WD 958, f.4v (189)	Nandi; arca; Manjushri dari Candi Jago; Harihara	160 × 342	tinta & t.c.	h.458
WD 958, f.4v (190)	Annannga	335 × 160	pensil	h.458
WD 958, f.4v (191)	Arca perunggu	336 × 120	pensil	h.458
WD 958, f.5 (192)	Shiva, Jatim	143 × 300	pensil	h.458
WD 958, f.5 (193)	Raksasa, Bali	180 × 158	pensil	h.458
WD 958, f.5 (194)	Arca pengawal, Malang, Jatim	183 × 143	tinta & t.c.	h.458
WD 958, f.5 (195)	2 arca, Bali	172 × 251	pensil	h.458
WD 958, f.5v (196)	3 arca, Bali	202 × 306	tinta & t.c.	h.458
WD 958, f.5v (197)	2 arca batu, Bali	200 × 312	tinta & t.c.	h.458
WD 958, f.6 (198)	Arca pengawal, ?Singasari, Jatim	222 × 170	pensil	h.458
WD 958, f.6 (199)	Arca pengawal, Prambanan, Jateng	290 × 191	tinta & t.c.	h.459

Nomor inventaris	Gambar	Ukuran (mm)	Bahan	Ref. Archer
WD 958, f.6v (200)	Arca pengawal, Candi Sewu, Jateng	368 × 240	pensil	h.459
WD 958, f.7 (201)	Arca pengawal, ?Prambanan, Jateng	277 × 193	tinta & t.c.	h.459
WD 958, f.7v (202)	Mahakala, Singasari, Jatim	364 × 211	tinta & t.c.	h.459
WD 958, f.8 (203)	Nandishvara, Singasari, Jatim	352 × 235	tinta & t.c.	h.459
WD 958, f.8v (204)	Durga, Singasari, Jatim	265 × 210	tinta & t.c.	h.459
WD 958, f.8v (205)	Durga, Singasari, Jatim	258 × 202	tinta & t.c.	h.459
WD 958, f.11 (206)	Bhairava, Singasari, Jatim & Durga	223 × 320	tinta & t.c.	h.459
WD 958, f.11 (207)	Bhairava & Durga, Singasari, Jatim	223 × 319	tinta & t.c.	h.459
WD 958, f.11v (208)	Durga, Prambanan, Jateng	249 × 208	pensil	h.459
WD 958, f.11v (209)	Bhairava & Durga, Singasari, Jatim	200 × 285	tinta	h.459
WD 958, f.12 (210)	Bhairava, Singasari, Jatim	290 × 230	tinta & t.c.	h.459
WD 958, f.12v (211)	Nandi, Singasari, Jatim	230 × 350	tinta & t.c.	h.459
WD 958, f.13 (212)	Ganesha & Nandi, Singasari, Jatim	230 × 350	pensil	h.459
WD 958, f.13v (213)	Ganesha, Ungaran, Jateng	181 × 155	pensil	h.459
WD 958, f.13v (214)	Ganesha, Prambanan, Jateng	185 × 143	pensil	h.459
WD 958, f.13v (215)	Ganesha, ?Lumajang, Jatim	193 × 317	tinta & t.c.	h.459
WD 958, f.14 (216)	Ganesha	180 × 166	tinta & t.c.	h.459
WD 958, f.14 (217)	Ganesha, Singasari, Jatim	265 × 210	tinta & t.c.	h.459
WD 958, f.14v (218)	Ganesha & Brahma	202 × 315	tinta & t.c.	h.459
WD 958, f.14v (219)	Ganesha	202 × 315	tinta & t.c.	h.460
WD 958, f.15 (220)	Ganesha	195 × 171	tinta & t.c.	h.460
WD 958, f.15 (221)	Ganesha, Ungaran, Jateng	160 × 105	tinta & t.c.	h.460
WD 958, f.15 (222)	Ganesha, Singasari, Jatim	286 × 226	tinta & t.c.	h.460
WD 958, f.15v (223)	Arca	151 × 110	pensil	h.460
WD 958, f.15v (224)	Ganesha, Singasari, Jatim	162 × 126	tinta	h.460
WD 958, f.15v (225)	Nandishvara & Mahakala, Singasari, Jatim	202 × 305	tinta & t.c.	h.460
WD 958, f.16 (226)	Nandishvara, Singasari, Jatim	272 × 212	tinta & t.c.	h.460
WD 958, f.16 (227)	Brahma, Prambanan, Jateng	163 × 191	pensil	h.460
WD 958, f.16 (228)	Shiva, mungkin dari Prambanan, Jateng	163 × 115	pensil	h.460
WD 958, f.16v (229)	Mahakala & Nandishvara	175 × 281	tinta & t.c.	h.460
WD 958, f.16v (230)	Nandishvara	260 × 173	tinta & t.c.	h.460
WD 958, f.17 (231)	Arca perunggu	350 × 132	pensil	h.460
WD 958, f.17 (232)	Arca duduk	273 × 133	pensil	h.460
WD 958, f.17 (233)	Buddha Ayuthia asli Muangthai, Paralongan	200 × 150	tinta & t.c.	h.460
WD 958, f.17v (234)	Arca, Rendu-gunting atau Candi Dinongan, Jateng	230 × 155	pensil	h.460
WD 958, f.17v (235)	Buddha	197 × 155	pensil	h.460
WD 958, f.18 (236)	Shiva Nandishvara & 3 Buddha	153 × 330	pensil	h.460
WD 958, f.18 (237)	Dhyani Buddha, Borobudur, Jateng	238 × 217	pensil	h.460
WD 958, f.19 (238)	Arca duduk	138 × 115	tinta & t.c.	h.460
WD 958, f.19 (239)	Dhyani Buddha, Borobudur, Jateng	140 × 158	pensil	h.460
WD 958, f.20 (243)	2 arca pengawal	238 × 396	tinta & t.c.	h.460
WD 958, f.20v (244)	Arca	320 × 172	pensil	h.460
WD 958, f.20v (245)	Relief Bhima, Candi Sukuh, Jateng	153 × 167	pensil	h.461
WD 958, f.21 (246)	Bhima, Candi Sukuh, Jateng	258 × 180	pensil	h.461
WD 958, f.21 (247)	Bhima, Candi Sukuh, Jateng	225 × 142	pensil	h.461
WD 958, f.21v (248)	Garuda, Candi Sukuh, Jateng	257 × 195	pensil	h.461
WD 958, f.21v (249)	Garuda, Candi Sukuh, Jateng	258 × 190	pensil	h.461
WD 958, f.22 (250)	Kereta dewa matahari, Ungaran, Jateng	200 × 306	tinta & t.c.	h.461
WD 958, f.22 (251)	Kereta dewa matahari, Ungaran, Jateng	180 × 290	tinta & t.c.	h.461
WD 958, f.22v (252)	Alat sirih	340 × 200	pensil	h.461

Nomor inventaris	Gambar	Ukuran (mm)	Bahan	Ref. Archer
WD 958, f.23 (253)	Makara, mungkin dari Borobudur, Jateng	342 × 210	pensil	h.461
WD 958, f.23v (254)	Candi Papoh, Jatim	360 × 255	pensil	h.461
WD 958, f.24 (255)	Lingga, Candi Sukuh, Jateng	340 × 140	tinta & t.c.	h.461
WD 958, f.24 (256-7)	Lingga, Candi Sukuh + garisan, Jateng	395 × 145	tinta & t.c.	h.461
WD 958, f.24v (258)	Yoni dan Naga, Jatim	180 × 306	tinta & t.c.	h.461
WD 958, f.24v (259)	Altar, Malang, Jatim	315 × 192	tinta & t.c.	h.461
WD 958, f.25 (260)	Denah candi	183 × 297	tinta & t.c.	h.461
WD 958, f.25 (261)	Yoni, Jatim	191 × 298	tinta & t.c.	h.461
WD 958, f.25v (262)	Pancuran, ?Jatim	133 × 270	pensil	h.461
WD 958, f.25v (263)	Vishnu & Shiva, ?Jatim	365 × 277	pensil	h.461
WD 958, f.26 (264)	Relief pandai besi, Candi Sukuh, Jatim	208 × 274	pensil	h.461
WD 958, f.26 (265)	Eskavasi candi	198 × 276	tinta	h.461
WD 958, f.26v (266)	Makam di Gresik, Jatim	300 × 360	tinta & t.c.	h.461
WD 958, f.26v (267)	2 kepala kala, mungkin dari Singasari, Jatim	180 × 176	tinta & t.c.	h.461
WD 958, f.26v (268)	Candi Singasari, Jatim	286 × 188	pensil	h.461
WD 958, f.27v (269)	Garuda & singa, Panataran, Jatim	208 × 310	pensil	h.461
WD 958, f.28 (270)	2 gapura, Jateng	250 × 406	pensil	h.461
WD 958, f.29 (271)	Hiasan dinding & dasar, Borobudur, Jateng	365 × 540	pensil	h.462
WD 958, f.29v (272)	Relief, Borobudur, Jateng	172 × 228	pensil	h.462
WD 958, f.29v (273)	Vishnu, Prambanan, Jateng	192 × 235	pensil	h.462
WD 958, f.30 (274)	Hiasan dinding, ?Candi Tigawangi, Jatim	198 × 387	pensil	h.462
WD 958, f.30v (275)	Arca dewa	162 × 200	pensil	h.462
WD 958, f.30v (276)	Hiasan dinding, ? Candi Tigawangi, Jatim	188 × 322	pensil	h.462
WD 958, f.31 (277)	Hiasan dinding, lorong pertama, Borobudur, Jateng	222 × 296	pensil	h.462
WD 958, f.31v (278)	Hiasan dinding, lorong pertama, Borobudur, Jateng	158 × 420	pensil	h.462
WD 958, f.32 (279)	Hiasan dinding, lorong pertama, Borobudur, Jateng	202 × 290	pensil	h.462
WD 958, f.32v (280)	2 ukiran, Candi Sari, Jateng	253 × 254	pensil	h.462
WD 958, f.33 (281)	Hiasan dinding, Borobudur, Jateng	250 × 413	pensil	h.462
WD 958, f.33v (282)	Stupa, Borobudur, Jateng	242 × 240	pensil	h.462
WD 958, f.33v (283)	Bagian stupa, Borobudur, Jateng	130 × 242	pensil	h.462
WD 958, f.34 (284)	Peti, Jatim	117 × 236	pensil	h.462
WD 958, f.34 (285)	Lonceng sapi, Jatim	341 × 208	pensil	h.462
WD 958, f.34v (286)	Peninggalan Majapahit, Jatim	204 × 320	tinta & t.c.	h.462
WD 958, f.35 (287)	Yoni & lingga	192 × 257	tinta & t.c.	h.462
WD 958, f.35v (288)	Candi mini, sebelah depan, Jatim atau Bali	308 × 184	tinta & t.c.	h.462
WD 958, f.36 (289)	Candi mini, sebelah belakang	312 × 1196	tinta & t.c.	h.462
WD 958, f.36v (290)	Peti candi	195 × 315	tinta & t.c.	h.462
WD 958, f.37 (291)	Ukiran, Selamangleng, Jatim	200 × 244	pensil	h.462
WD 958, f.37v (292)	Ukiran, Selamangleng, Jatim	205 × 380	pensil	h.462
WD 958, f.38 (293)	3 bangunan dari relief candi, Jatim	138 × 220	pensil	h.462
WD 958, f.38 (294)	Brahma	311 × 215	pensil	h.462
WD 958, f.40 (296)	Prasasti, Prambanan, Jateng	940 × 625	tinta	h.462
WD 958, f.41 (297)	Prasasti, Batu Tulis, Jabar	390 × 520	tinta	h.462
WD 958, f.42 (298)	Makam Maulana Malik Ibrahim, Gresik, Jatim	425 × 540	tinta & t.c. kuning	h.463
WD 958, f.43 (299)	Makam Maulana Malik Ibrahim, Gresik, Jatim	385 × 282	tinta & t.c. kuning	h.463
WD 958, f.43 (299v)	Makam Maulana Malik Ibrahim, Gresik, Jatim	385 × 563	tinta & t.c. kuning	h.463
WD 958, f.44 (300)	Faksimili tulisan Jawa	227 × 185	tinta	h.463
WD 958, f.44 (300v)	Faksimili tulisan Jawa	227 × 370	tinta	h.463
WD 958, f.44v (301)	Prasasti Jawa	247 × 201	tinta	h.463
WD 958, f.45 (302)	Prasasti Jawa	247 × 260	tinta	h.463
WD 958, f.45v (303)	Tanggal '1252' dalam angka Jawa	197 × 317	pensil	h.463
WD 958, f.46 (304)	Prasasti, Sukuh atau Ceta, Jateng	240 × 448	pensil	h.463
WD 958, f.47 (305)	Prasasti, Sukuh atau Ceta, Jateng	257 × 910	pensil	h.463
WD 958, f.48 (306)	Prasasti, Sukuh atau Ceta, Jateng	388 × 480	pensil	h.463
WD 958, f.49 (307)	Prasasti, Selamangleng, Jatim	388 × 480	pensil	h.463
WD 958, f.49v (308)	Prasasti, Sukuh, Jateng	250 × 201	pensil	h.463
WD 958, f.49v (308v)	Prasasti, Sukuh, Jateng	125 × 201	pensil	h.463
WD 958, f.49v (309)	Prasasti bertanggal, Sukuh, Jateng	201 × 125	pensil	h.463
WD 958, f.49v (309v)	Prasasti bertanggal, Sukuh, Jateng	201 × 125	pensil	h.463
WD 958, f.50 (310)	Prasasti bertanggal, Sukuh, Jateng	416 × 276	pensil	h.463
WD 958, f.51 (311)	Prasasti, Sukuh, Jateng	350 × 250	pensil	h.463
WD 958, f.52 (312)	Arca pengawal, Shiva, Parvati, Jatim	376 × 485	pensil	h.463
WD 958, f.52v (313)	Tulisan Arab, makam Sultan Ratu, Gresik	303 × 410	tinta	h.463
WD 958, f.53 (314)	Tulisan Arab, makam Sultan Ratu, Gresik	200 × 400	tinta	h.463
WD 958, f.53v (315)	Prasasti dari lingga Sukuh, Jateng	380 × 262	pensil & tinta	h.464
WD 958, f.55 (318)	Mata uang	101 × 165	tinta	h.464
WD 958, f.55 (319)	Mata uang	114 × 201	tinta	h.464
WD 958, f.56 (320)	Mata uang	366 × 225	tinta	h.464
WD 958, f.56 (321)	Mata uang	320 × 220	tinta	h.464
WD 958, f.57 (322)	Silsilah	448 × 326	tinta & t.c. kuning	h.464
WD 958, f.58v	Arca pengawal, Jateng	323 × 195	pensil	h.464
WD 958, f.62	Arca pengawal, Banyumas, Jateng	265 × 362	pensil	h.464
WD 958, f.62v (a)	Lingga & yoni, Sukuh, Jateng	154 × 193	pensil	h.464
WD 958, f.62v (b-c)	Pancuran & makara, Sukuh, Jateng	305 × 162	pensil	h.464
WD 958, f.63 (a-b)	Arca pengawal & relief, Sukuh, Jateng	385-315	pensil	h.464
WD 958, f.63v (a-b)	Garuda & Vishnu, Sukuh, Jateng	260 × 400	pensil	h.464
WD 958, f.64 (a-b)	Bhima, Sukuh, Jateng	255 × 395	pensil	h.464
WD 958, f.64v (a)	Pintu gerbang barat, Sukuh, Jateng	163 × 220	pensil	h.464
WD 958, f.64v (b-c)	Relief & raksasa, Jateng	322 × 158	pensil	h.464
WD 958, f.65	Pintu barat, Sukuh, Jateng	236 × 340	pensil	h.464
WD 958, f.65v (a)	Garuda dan ular, Sukuh, Jateng	213 × 210	pensil	h.464
WD 958, f.65v (b)	Gajah, Sukuh, Jateng	195 × 195	pensil	h.464
WD 958, f.66	Prasasti dari lingga Sukuh, Jateng	340 × 181	pensil	h.465
WD 958, f.66v (a)	Kuburan, Pamalasang, Jatim	209 × 224	tinta	h.465
WD 958, f.66v (b)	Makam, Gresik, Jatim	215 × 168	pensil	h.465
WD 958, f.67	Bangunan	242 × 304	pensil	h.465
WD 958, f.68	Denah Candi Sewu, Jateng	485 × 650	pensil & tinta	h.465
WD 958, f.68v	Denah bangunan	300 × 200	pensil & tinta	h.465

APPENDIX II

CONTRACT FOR THE PURCHASE OF PEPPER, SILEBAR, 1682

LAMPIRAN II

PERJANJIAN UNTUK MEMBELI LADA DI SILEBAR, 1682

India Office Records, Original Correspondence E/3/43, ff.50v-51r

Hijrat al-nabi sallalahu alaihi wasalam syeribu sembilan puluh tiga tahun kepada tahun Ba kepada bulan Rabiulawal kepada hari Jumaat pada waktu zuhur ini surat Kiai Dipati Ujung Galuh, Dipati Ululura, Dipati Lawang Kidal dengan Peruatan Duabelas berjanji dengan Benjamin Cruft dengan Daniel Cook fitur Kompeni Inggris, lada Sulibar dengan lada Anak Sungai Sulibar semuanya lada itu Kompeni Inggris yang membeli dia kepada tiap2 tahun, tida boleh berjual kepada orang lain, harganya sepuluh rial sebahara.
Sellebar 16th March 1682
The above is a contract made whith Kay de Patte Ujang gallo, and de Patte Ulolurah, and de Patte Lauuong, and the rest of the Councill for all Peppar yearly at Rials 10 per Bahar.

Ini surat perjanjian Dipati Ujung Galuh barang di mana fitur berniaga yang sesuku kepada bahara itu tida hilang perolehan Dipati fitur yang membayar dia.
The above is an Obligation given Dopate Ujang Galloo to give him 15d per Bahar on all Peppar.

Jikalau Sultan Agung minta biaya kepada orang Sulibar, Benjamin Cruft dengan Daniel Cook yang membayar dia; jikalau datang Wilanda ke Sulibar anak Inggris lawannya Inggris duduk di Sulibar.
The above is a note given to Depate Ujang Galloo to beare him harmeless from the Old Sultan of Bantam.

[Note the discrepancy between Malay and English versions of this contract.]

APPENDIX III

CORRESPONDENCE ON THE AIRLANGGA INSCRIPTION

LAMPIRAN III

SURAT-MENYURAT MENGENAI PRASASTI AIRLANGGA

Extract from a letter from T.S.Raffles in Buitenzorg to W.Marsden, 12 January 1813 (Lady Raffles 1991:206-7)

Colonel Mackenzie has visited Majapahit, and every part of the Island; and a large stone, weighing several tons, with a long inscription in ancient characters, has been brought from the ruins to Surabaya. The characters on this stone are, I believe, somewhat different from those found at Brambana; and there is an old man at Sumanap who pretenders to decypher the character. I have seen some of his translations of similar inscriptions in Madura; and they appear to record volcanoes and battles; but I must hesitate in offering an opinion, until I have time to examine the whole personally.

Letter from C.MacKenzie in Batavia to Lord Minto in Calcutta, 11 April 1813
MSS.Eur.F.148/47, ff.3r-4v

[f.3r] My Lord
Conceiving it would be agreeable to your Lordship that one of the best preserved Monuments of the Ancient Literature of Java should be placed at your disposal, I have taken the liberty, thro' the good offices of my friend Major Campbell, to have shipped on board of the Matilda a Stone engraved on both sides, with Ancient Characters, in a high state of preservation.

I apprehend the preservation of this Ancient Monument will be pleasing to the Oriental Literati, as the Character is now become obsolete; & its preservation may afford an opportunity of recovering the knowledge of the more Ancient Character & language of the Nations that established themselves early in these Islands; for altho' several pieces of the History of the Country have come into my hands, I have not yet been able to ascertain to my satisfaction from what Country the first Colonists came. The accounts vary much mentioning expeditions from Guzarat & Calinga, in W. India; & from Siam & China; & even from the Arabian Gulff; It is likely that colonists from all these Countries introduced their respective Systems of Religion & of Letters; yet tho' some Sculptures indicative of the Vedantic Mythology are found, I have only met one Inscription in Devanagri characters out of 21 that I got Facsimiles of; & as most of the Monuments, Temples & Figures I have seen, seem to agree better with the Siamese Stile of Architecture, & Religion of Boudh, I

Isi surat T.S.Raffles di Buitenzorg [Bogor] kepada W.Marsden, 12 Januari 1813 (Lady Raffles 1991:206-7)

Kolonel Mackenzie telah mengunjungi Majapahit dan seluruh pulau. Dari reruntuhan ia membawa ke Surabaya sebuah batu besar yang beratnya beberapa ton dan bertuliskan prasasti panjang dalam huruf kuno. Huruf-huruf di batu ini rupanya berbeda dengan huruf-huruf yang ditemukan di Prambanan. Terdapat seorang tua di Sumenep yang katanya dapat mengartikan huruf-huruf tersebut. Saya telah melihat beberapa terjemahannya atas prasasti serupa di Madura. Tampaknya prasasti-prasasti itu menceritakan mengenai letusan gunung berapi dan perang. Meskipun demikian, saya harus menahan diri dalam menyampaikan pendapat saya sampai saya punya waktu untuk meneliti seluruh masalah ini secara pribadi.

Surat Colin MacKenzie di Batavia kepada Lord Minto di Calcutta, 11 April 1813
MSS.Eur.F.148/47,ff.3r-4v

[f.3r] Tuan yang terhormat,
Menganggap bahwa tuan tidak keberatan jika salah satu dari monumen kesusasteraan Jawa kuno yang masih terpelihara diserahkan dalam tanggung jawab tuan, saya telah mengirimkan kepada tuan sebuah batu – yang masih terpelihara baik – yang pada kedua sisinya terdapat prasasti dalam huruf kuno. Batu ini saya kirimkan dengan kapal Matilda dengan bantuan Mayor Campbell.

Saya yakin bahwa pemeliharaan monumen kuno ini akan menggembirakan para sarjana kesusasteraan Timur, karena huruf yang digunakan sudah tidak dikenal lagi, maka penyelidikan aksara ini mungkin akan memberikan kesempatan bagi kita untuk mendapatkan pengetahuan mengenai huruf dan bahasa kuno bangsa yang menduduki kepulauan ini pada masa lampau. Meskipun saya telah memiliki beberapa keterangan mengenai sejarah negeri ini, saya belum dapat memastikan negara asal penduduk pertamanya. Laporan-laporan begitu berbeda; ada yang menunjukkan ekspedisi dari Gujerat dan Keling di India Barat dan dari Siam dan Cina dan bahkan dari teluk Arab. Kemungkinan penduduk yang datang dari negara-negara ini memperkenalkan sistem agama dan huruf mereka sendiri. Meskipun terdapat beberapa arca yang rupanya ada hubungan dengan mitologi Vedanta, saya baru menemukan satu prasasti dalam huruf Devanagari dari 21 salinan faksimili

conclude so far [f.3v] as I am yet able to see, that the Bramin, or rather the Vedantic, System of Mythology has not been so generally diffused in this Island as that of Boudh; tho' it is possible some particular Colonies, from Calinga for instance, might have been at one time established here as mentioned in Traditions confirmed by other circumstances.

I shall not presume to suggest how this stone should be disposed of – The College, or the Asiatic Society, can be supplied with several specimens if it is understood to be acceptable to either – Should your Lordship think it an object worthy of preservation at your Paternal Seat, it might at some future day call to remembrance an Event that will be always deemed interesting to the Nation at large, the incorporation of Java in the British Empire. On the Banks of the Teviot it might some day afford to British Orientalists an object of pleasing & useful speculation of Asiatic Literature – In this light your Lordship will recollect that the first Explanation of a Monument of this kind, sent to Portugal by the celebrated Don Juan de Castro, from his Government of Goa, & still preserved at his Patrimonial Seat of Centra near Lisbon, was first explained by a British subject; within my own short period of Indian Investigation I have seen the Ancient Canara Characters restored to our knowledge; & it would be gratifying to find this further elucidation of Oriental letters reserved for some British subject.

I also inclose a View of this Stone & of the Costume of the Natives as they appeared at the time I saw it – I had it carried down with the consent & by the assistance of the Native Regent from Malang, an Inland District about 40 Miles SE of Passarouang, to Sourabaya where it was shipped.

I have taken the precaution of obtaining Facsimile [f.4r] Copies of the Inscription which with several others I hope to have the honor soon of submitting to your Lordship.

I have the honor to be most respectfully / My Lord / your Lordship's / much obliged & most obed. servant
Colin Mackenzie
Batavia, April 11th 1813
Right Honble. Lord Minto

[f.4v, in Lord Minto's hand]
Lt. Col. C. McKenzie / Batavia 11th April 1813
Description & account of a great stone with an Inscription in a character which is lost Sent to me from Java – enclosing a drawing of the Stone.
Rc Calcutta / 27th June / f. Matilda

prasasti yang saya miliki. Sementara sebagian besar monumen, candi dan arca yang telah saya lihat tampaknya lebih dekat dengan gaya arsitektur Siam dan agama Buddha. Berdasarkan apa yang sudah saya lihat, saya berkesimpulan bahwa pemakaian sistem mitologi Bramin, atau lebih tepat mitologi Vedanta, di pulau ini secara umum belum terlalu banyak dibandingkan dengan sistem mitologi Buddha. Namun demikian, masih mungkin beberapa kelompok masyarakat [Hindu] tertentu, dari Keling misalnya, pernah menetap di sini seperti yang disebut dalam cerita lama, yang dibenarkan oleh bukit-bukti lain.

Saya tidak mengajukan usul tentang tempat simpanan selanjutnya batu ini – College, atau Asiatic Society, dapat diberi beberapa contoh salinan jika mereka menghendakinya. Bila tuan berpendapat bahwa batu ini merupakan benda yang patut dilestarikan di tanah milik keluarga Tuan [di Skotlandia], suatu hari kelak batu prasasti ini akan menjadi kenangan atas suatu peristiwa yang akan selalu dianggap menarik oleh seluruh bangsa, yaitu penggabungan Jawa dalam kerajaan Inggris. Suatu hari nanti, di tebing Sungai Teviot, para sarjana Orientalis Inggris dapat menganggapnya sebagai sesuatu yang menarik dan berguna bagi penelitian kesusasteraan Asia. Sehubungan dengan ini, Tuan mungkin mengingat bahwa keterangan pertama tentang monumen semacam ini, yang dikirimkan ke Portugal oleh Don Juan de Castro dari pemerintahannya di Goa, dan masih terpelihara di tanah milik keluarganya di Centra dekat Lisbon, pertama kali diterangkan oleh orang Inggris. Dalam masa penyelidikan saya yang singkat mengenai India, saya sempat melihat bahwa huruf Kanara kuno telah dikenal kembali. Maka akan sangat menggembirakan bila penjelasan huruf-huruf timur yang ini diusahakan untuk seorang Inggris pada suatu masa kelak.

Saya juga menyertakan lukisan batu ini dan pakaian penduduk asli pada saat pertama kali saya melihat batu ini. Saya membawa batu ini ke Surabaya untuk dikirimkan dengan kapal dengan izin dan dengan bantuan Bupati Malang, suatu daerah di pedalaman kira-kira 40 mil ke arah tenggara Pasaruan.

Demi keselamatan, saya telah mendapatkan salinan faksimili lengkap prasasti [f.4r] yang akan segera saya kirimkan kepada Tuan bersama-sama dengan beberapa salinan yang lain.

Saya yang telah mendapat kehormatan / Tuanku / hambamu yang patuh
Colin Mackenzie
Batavia, 11 April 1813
Lord Minto yang terhormat

(f.4v, dalam tulisan tangan Lord Minto)
Let. Kol. C.McKenzie / Batavia, 11 April 1813

Extract from a letter from Lord Minto in Calcutta to T.S.Raffles, 22 June 1813
(Lady Raffles 1991:188).

I am very grateful for the great stone from the interior of your Island; in weight, at least, it seems to rival the base of Peter the Great's statue at St. Petersburgh.

I shall be very much tempted to mount this Java rock on our Minto craigs, that it may tell eastern tales of us long after our heads lie under smoother stones.

Penggambaran dan laporan mengenai suatu batu prasasti besar dalam huruf yang sudah tidak dikenal lagi, dikirimkan kepada saya dari Jawa – melampirkan gambar batu tersebut.
Diterima di Calcutta / 27 Juni / [melalui kapal] Matilda

Isi surat Lord Minto di Calcutta kepada T.S.Raffles, 22 Juni 1813
(Lady Raffles 1991:188)

Saya berterimakasih sekali atas kiriman batu besar dari pulau anda. Setidaknya dari segi berat, batu yang anda kirimkan menandingi dasar patung Peter yang Agung di St. Petersburg.

Saya sangat berminat untuk meletakkan batu Jawa ini pada bukit Minto kita, sehingga batu Jawa ini kelak dapat menceritakan dongeng-dongeng timur tentang kita lama setelah tubuh kita terbaring di bawah batu yang lebih halus.

APPENDIX IV

JOHN NEWMAN, A BIOGRAPHICAL NOTE

LAMPIRAN IV

JOHN NEWMAN, CATATAN BIOGRAFIS

John Newman, a young boy of mixed blood, was engaged in India as a draughtsman by Colin MacKenzie *ca.*1808 to work on the survey of Mysore (Phillimore 1950:352). Although his date of birth is not known, as he was still said to be a boy in 1810, he may have been born *ca.*1795. He died in Madras, probably in late July 1818, leaving no family.

In 1808 MacKenzie sent Newman to work with Henry Hamilton in the Ceded Districts: 'Newman is directed to join you, and you will give him such instruction . . . in surveying, with the intention . . . of qualifying him better as a Draughtsman . . . You will employ him . . . both in Surveying & Drawing, & if he follows your own stile in the latter I shall be well pleased' (Phillimore 1950:278). Newman's training continued when MacKenzie sent him to work with William Lantwar, with the following instructions, written on 11.10.1810: 'He should remain some months with you for instructions in Practical Geometry, & afterwards in the easier first branches of Surveying, in order to qualify him better for being a Draftsman of Plans, Maps, & Surveys; & I propose, after he has been some time with you, to send him afterwards to Hamilton . . . He is not to have the management of Money while with you, at at his age it is not proper. He will give you the List of Apparel, &c. he brings with him, & you may assure him that his frugality, obedience, & diligence in learning his duties will entitle him to every reasonable encouragement from me' (Phillimore 1950:345). Some six months later, MacKenzie recalled Newman to Madras, in a letter to Hamilton on 21.3.1811: 'I some time ago directed Mr. Lantwar to write to you to send Newman down hither as fast as possible, as I have occasion for him here, & I hope by this time he is well advanced on his journey' (Phillimore 1950:345).

Along with a few others, Newman was regarded as one of MacKenzie's personal staff, and was paid for some time from his own salary. He accompanied MacKenzie to Java from 1811–13, and to Bengal 1813–15. Whilst in Java, he made a large number of sketches of archaeological sites and sculptures, and also compiled a portfolio of about 30 watercolour genre scenes of daily life in Java.

In 1817, John Newman was ordered to Calcutta with the other surveyors from Madras to join MacKenzie. MacKenzie wrote 'I have got Newman a good pay [R.120], & he merits it, considering his qualifications compared with what we found here' (28.11.1817, in Phillimore 1954:312). However, Newman went sick and arrived back in Madras 'rather better . . . than when he left Calcutta, but still looking very ill' (6.4.1818, in Phillimore 1954:312). His condition deteriorated; MacKenzie wrote (13.7.1818) 'There are, I am sorry to say, small hopes of Newman; he had lately a fever and was, on its ceasing, sent . . . to Pondicherry and Cuddalore merely for a change of air' (Phillimore 1954:476). He must have died in Madras soon after, for on

John Newman, seorang pemuda berdarah campuran, dipekerjakan di India sebagai seorang juru gambar oleh Colin MacKenzie sekitar tahun 1808 pada pekerjaan ukur tanah di Mysore (Phillimore 1950:352). Meskipun tanggal kelahirannya tidak diketahui, dia dikatakan masih anak muda pada tahun 1810, dan oleh itu mungkin dia lahir sekitar tahun 1795. Dia meninggal dunia di Madras, mungkin pada akhir Juli 1818, tanpa meninggalkan keluarga.

Pada tahun 1808 MacKenzie mengirim Newman untuk bekerja dengan Henry Hamilton di daerah yang baru di serahkan [kepada pemerintahan Inggris]: 'Newman dikirim untuk bekerja dengan anda, dan anda harus memberinya instruksi . . . mengenai ilmu ukur tanah, dengan tujuan . . . meningkatkan kemampuannya sebagai juru gambar . . . Anda akan mempekerjakannya . . . dalam hal ilmu ukur tanah dan menggambar, dan bila dia nanti mengikuti gaya seni lukis anda saya akan sangat bergembira' (Phillimore 1950:278). Latihan untuk Newman berlanjut ketika MacKenzie mengirimkannya untuk bekerja dengan William Lantwar, dengan instruksi berikut, ditulis pada 11.10.1810: 'Dia harus bersama anda selama beberapa bulan untuk belajar Geometri Praktis, dan setelah itu hal-hal yang mudah dalam ilmu ukur tanah, agar dia menjadi seorang juru gambar rancangan, peta dan pengukuran tanah yang lebih baik. Saya mengusulkan jika dia telah bersama anda selama beberapa waktu, sebaiknya dia dikirimkan ke Hamilton . . . Karena dia masih terlalu muda, selama bersama anda dia tidak boleh menangani masalah keuangan. Dia akan memberikan kepada anda daftar pakaian dan segala sesuatu yang dibawanya, dan anda dapat mengatakan kepadanya bahwa kecermatan, ketaatan dan kerajinannya dalam belajar akan sangat menyenangkan saya' (Phillimore 1950:345). Sekitar enam bulan kemudian, MacKenzie memanggil Newman ke Madras, dalam sebuah surat kepada Hamilton pada 21.3.1811: 'Beberapa waktu yang lalu saya memerintahkan Lantwar untuk menulis surat kepada anda meminta anda untuk mengirimkan Newman ke sini secepatnya, karena saya memerlukan dia di sini. Dan saya harap sekarang ini dia sudah lama berangkat [ke sini]' (Phillimore 1950:345).

Bersama beberapa orang lain, Newman dianggap sebagai staf pribadi MacKenzie, dan dibayar dari gajinya sendiri. Dia menyertai MacKenzie ke Jawa pada tahun 1811–13, dan ke Bengal pada tahun 1813–15. Ketika berada di Jawa, dia membuat banyak sekali sketsa tempat peninggalan lama dan arca, dan juga menghimpun sebuah portfolio berisi 30 lukisan cat air mengenai pemandangan kehidupan sehari-hari di Jawa.

Pada tahun 1817, John Newman diperintahkan untuk pergi ke Calcutta dengan beberapa juru ukur lain dari Madras untuk bergabung dengan MacKenzie. MacKenzie menulis 'Saya mendapatkan gaji yang baik untuk Newman (R. 120), dan dia memang pantas mendapatkannya, mengingat kemampuannya dibandingkan

1.8.1818 MacKenzie lamented his death 'I am sorry for poor Newman's fate, the only man I had who understood perspective in any degree. We shall have no want of draughtsmen, but I shall miss him as one of my own rearing, that I took a pride in' (Phillimore 1954:312). When a new draughtsman was employed, MacKenzie wrote '. . . his skill in drawing is not equal to that of the man I lost [Newman], who was a half-caste . . .' (19-12-18, in Phillimore 1954:312).

Even after Newman's death, MackKenzie continued to pay attention to his affairs: on 2.1.1819 he wrote 'John Newman, the draughtsman, was sent round on medical certificate, and I have drawn his pay here till the day of his death', and on 32[sic].2.1819 'I do not understand why the funeral expenses of poor Newman have not been paid; where there be a balance due to him or not, he has just claims on me, and as the poor man has left no family, there should be less difficulty. Do me the favour, then, My Dear Mountford, to take this affair in hand' (Phillimore 1954:476).

dengan apa yang kami temukan di sini' (28.11.1817, dalam Phillimore 1954:312). Tetapi Newman jatuh sakit dan ia tiba kembali di Madras 'lebih baik . . . daripada waktu ia meninggalkan Calcutta, tetapi masih terlihat sakit parah' (6.4.1818, dalam Phillimore 1954:312). Keadaan Newman makin memburuk; MacKenzie menulis (13.7.1818) 'Harapan bagi Newman tampaknya sangat kecil, dia baru saja demam, dan pada saat demamnya berhenti dia dikirim . . . ke Pondicherry dan Cuddalore hanya untuk berganti udara' (Phillimore 1954:476). Newman meninggal di Madras tak lama setelah itu, karena pada tanggal 1.8.1818 MacKenzie meratapi kematiannya: 'Saya bersedih atas nasib yang menimpa Newman, satu-satunya orang saya yang benar-benar mengerti perspektif. Kami tidak akan kekurangan juru-juru gambar, tetapi saya merasa kehilangan dia sebagai orang yang saya besarkan dan saya sangat bangga padanya (Phillimore 1954:312). Ketika seorang juru gambar baru dipekerjakan, Mackenzie menulis '. . . ketrampilan menggambarnya tidak sebanding dengan kejuruan orang saya yang telah tiada [Newman], seorang berdarah campuran . . .' (19.12.1818 dalam Phillimore 1954:312).

Bahkan setelah kematian Newman, MacKenzie masih terus memperhatikan hal ihwalnya: pada tanggal 2.1.1819 dia menulis 'John Newman, sang juru gambar, dikirimkan untuk mendapatkan sertifikat kesehatan, dan saya telah membuat bayarannya di sini hingga hari kematiannya' dan pada tanggal 32[sic].2.1819 'Saya tidak mengerti kenapa biaya penguburan Newman belum dibayarkan; sekiranya ada atau tidak ada kelebihan gaji yang sepatutnya dia terima, sayalah yang patut bertanggungjawab atasnya, dan karena dia tidak meninggalkan seorang keluargapun, seharusnya hal ini tidak sulit. Bantulah saya, Mountford yang baik, untuk menyelesaikan masalah ini' (Phillimore 1954:476).

NOTES
CATATAN

1 John Milton, *Paradise Lost* (1677), Book II, lines 636–40: 'As when far-off at sea a fleet descried / Hangs in the clouds, by equinoctial winds / Close sailing from Bengala, or the isles / Of Ternate and Tidore, whence merchants bring / Their spicy drugs'.

1 John Milton, *Paradise Lost* (1677), Buku II, baris 636–40: 'Pada saat jauh di tengah laut terlihat sejumlah kapal / bergantung di awan, oleh angin jauh / berlayar dari Bengala, atau pulau-pulau / Ternate dan Tidore, dari mana para pedagang membawa / rempah-rempah yang memukau'.

2 Detailed cross-references to associated drawings in the two other London collections are given in the published catalogues of the British Library by Mildred Archer (1969) and the Royal Asiatic Society by Raymond Head (1990).

2 Rujukan silang pada gambar yang berhubungan dengan gambar dalam dua koleksi London yang lain diberikan dalam katalog lukisan British Library oleh Mildred Archer (1969) dan katalog lukisan Royal Asiatic Society oleh Raymond Head (1990).

3 The 240 Horsfield drawings are contained in four bound albums (along with drawings of other subjects): MSS.Eur.F.54 (28 archaeological drawings), WD 956 (five drawings), WD 957 (45 drawings) and WD 958 (162 drawings). All the drawings in the Horsfield collection have been catalogued by Mildred Archer (1969:ii.449-65).

3 240 lukisan Horsfield disimpan dalam empat album bersama dengan gambar subyek lain: MSS.Eur.F.54 (28 gambar arkeologis), WD 956 (lima gambar), WD 957 (45 gambar) dan WD 958 (162 gambar). Semua gambar dalam koleksi Horsfield telah dikatalog oleh Mildred Archer (1969:ii.449-65).

4 The MacKenzie collection comprises 270 archaeological drawings of which 54 are mounted individually as WD 899-952, while the others are bound into volumes. These albums are WD 953 (containing 90 archaeological drawings); WD 954 (82 drawings); WD 955 (ten drawings); and MacKenzie Collection (Private) 2 (20 drawings). 14 drawings in MSS.Eur.F.148/47 of the Raffles-Minto collection were sent by MacKenzie to Lord Minto in 1813 to accompany the report of his expedition to Prambanan. All the WD MacKenzie drawings have been fully catalogued by Mildred Archer (1969:ii.500-52).

4 Koleksi MacKenzie terdiri dari 270 lukisan arkeologis, yang 54 di antaranya masing-masing dinomori WD 899-952, sementara yang lain dijilidkan dalam beberapa album. Album-album ini adalah WD 953 (berisi 90 gambar arkeologis); WD 954 (82 gambar); WD 955 (sepuluh gambar); dan MacKenzie Collection (Private) 2 (20 gambar). 14 gambar dalam MSS.Eur.F.148/47 dari koleksi Raffles-Minto dikirimkan kepada Lord Minto oleh MacKenzie pada 1813 untuk melengkapi laporannya mengenai ekspedisinya ke Prambanan. Seluruh gambar WD MacKenzie telah dikatalog oleh Mildred Archer (1969:500-52).

5 These drawings are in Add.11031 (nos.77-86,88-91,94-96), a volume entitled *Miscellaneous drawings. India and New Holland.*

5 Gambar-gambar ini berada di dalam Add.11031 (nomor 77-86,88-91,94-96), yaitu satu jilid yang berjudul *Berbagai-bagai gambar. India dan Hollandia Baru.*

6 There are an additional 14 non-archaeological drawings in the Raffles albums: two sketches of heads (one of a European and one of a Javanese) in 1939.3-11.07, and 12 drawings of tools and other implements, and of figures, all of which were the basis of engravings in *The History of Java.*

6 Dalam album Raffles terdapat tambahan 14 gambar non-arkeologis yang berupa sketsa dua kepala orang (orang Eropa dan orang Jawa) dalam album 1939.3-11.07, dan 12 gambar mengenai berbagai peralatan dan orang, yang kesemuanya merupakan dasar ukiran-ukiran pada buku *The History of Java.*

7 These albums are numbered 1939.3-11.04 (24 drawings, mostly by G.P.Baker); 1939.3-11.05 (58 drawings); 1939.3-11.06 (56 drawings); 1939.3-11.07, entitled *Sketches etc. in Java (including Suku) 113 subjects in 142 sketches of which 17 by me. G.P.Baker* (126 drawings); 1939.3-11.08, entitled *82 sketches of statues etc. in Java of which 79 are by me. G.P.Baker* (60 drawings) and 1939.3-11.09 (25 drawings). There is no published catalogue of these albums, but the drawings are listed in a card catalogue held in the Students' Room of the Department of Oriental Antiquities.

7 Album-album ini diberi nomor 1939.3-11.04 (24 gambar, kebanyakan karya G.P.Baker); 1939.3-11.05 (58 gambar); 1939.3-11.06 (56 gambar); 1939.3-11.07 berjudul *Sketsa dll. di Jawa (termasuk Suku) 113 subyek dalam 142 sketsa, yang 17 di antaranya buatan saya. G.P.Baker* (126 gambar); 1939.3-11.08, berjudul *82 sketsa arca dll. di Jawa, yang 79 di*

antaranya buatan saya. G.P.Baker (60 gambar) dan 1939.3-11.09 (25 gambar). Tidak ada katalog yang diterbitkan untuk album-album ini, tetapi lukisan ini terdaftar dalam katalog kartu di Ruang Peneliti, Department of Oriental Antiquities.

8 The RAS collection also contains about 38 proof engravings for plates of antiquities, done by William Daniell from drawings by Baker and Cornelius, many of which were published in the 1844 edition of *The History of Java*. All these drawings and engravings have recently been catalogued, and 14 reproduced, by Raymond Head (1990:25-40).

8 Koleksi RAS juga berisi sekitar 38 cetakan ukiran untuk gambar-gambar peninggalan kuno yang dikerjakan oleh William Daniell dari gambar karya Baker dan Cornelius, yang banyak di antaranya diterbitkan di *The History of Java* edisi tahun 1844. Semua gambar ini telah dikatalog dengan reproduksi 14 buah gambar oleh Raymond Head (1990:25-40).

9 MacKenzie (Private) 2, p.93.

9 MacKenzie (Private) 2, hal. 93.

10 MacKenzie (Private) 2, p.97.

10 MacKenzie (Private) 2, hal. 97.

11 Evaluating some of the earliest archaeological drawings of Javanese temples and antiquities, done by H.C.Cornelius around 1807, Stutterheim proclaimed them 'historically worthless' (Bastin & Brommer 1982:315).

11 Ketika mengevaluasi beberapa gambar candi Jawa dan peninggalan purbakala yang paling lama, yang dikerjakan oleh H.C.Cornelius sekitar tahun 1807, Stutterheim menyatakan bahwa gambar-gambar itu 'sama sekali tidak bernilai dari segi sejarah' (Bastin & Brommer 1982:315).

12 This drawing, with most of the figures removed, is the basis for the engraving entitled 'The large temple at Brambanan' in *The History of Java*, vol.2, 2nd plate after p.18.

12 Lukisan ini, tanpa gambar orang, adalah dasar karya ukiran yang berjudul *Candi Besar di Brambanan* dalam buku *The History of Java*, jilid 2, gambar kedua setelah hal.18.

13 WD 953, f.36v (36), inscribed in ink: *West View of the Ruinous Temple at – . East* [sic] *of Prambana. January 20th 1812.*

13 WD 953, f.36v (36), tertulis dengan tinta: *Pemandangan sebelah barat reruntuhan Candi di . . . Sebelah timur* [sic] *Prambana. 20 Januari 1812.*

14 The text of the bilingual inscription in Sanskrit and Old Javanese was published by Kern in 1885 and 1913, reprinted in *Verspreide Geschriften*, VII, 1917, pp.83-101 and 102-14; a photograph of part of the text is reproduced in de Casparis (1975:plate Vb).

14 Teks prasasti dalam dua bahasa – Bahasa Sansekerta dan Bahasa Jawa Kuno – ini diterbitkan oleh Kern pada tahun 1885 dan 1913, dan dicetak ulang di *Verspreide Geschriften*, VII, 1917, hal.83-101 dan 112-114; foto sebagian teks ini direproduksi di de Casparis (1975:gambar Vb).

15 The Malay explanation reads: *This is a drawing of the grave of flowers at Kampung Gapura in Gresik. According to Javanese tales, this is the grave of Maulana Malik Ibrahim; his rank was equivalent to that of the king's theologian in the land of Cermin. He was an Arab descended from Syaikh Maulana Zainal Abidin. The length of the site* [where flowers are scattered] *is six feet two inches and its width is two feet five and a half inches; its height is three feet six and a half inches. The height of the grave stone itself from top to bottom, that is to the yellow stone, is three feet in thickness and one foot seven inches in width. According to some storytellers, the country of Cermin is a great land.*

15 Catatan bahasa Melayu dengan huruf Jawi pada gambar ini berbunyi: *Maka inilah gambar pesekaran kubur di Gresik pada pihak Kampung Gapura. Telah tersebut dalam hikayat cerita Jawa adapun yang tertanam di dalam kubur itu nama Maulana Malik Ibrahim, pangkat sepupu ulama raja negeri Cermin, yaitu asal orang Arab turunan daripada Syaikh Maulana Zainal Abidin. Maka panjangnya pesekaran itu enam kaki dua dam* [duim, bahasa Belanda] *dan lebarnya itu dua kaki lima dam setengah; maka tingginya itu tiga kaki enam dam setengah. Adapun tingginya mahisan dari atas ke bawah hingga batu yang kuning yaitu tiga kaki tebal dan lebarnya itu satu kaki tujuh dam. Maka telah diceritakan oleh setengah orang yang empunya cerita adapun negeri Cermin itu yaitu negeri gah adanya.*

16 Reproduced here are two of four such drawings of the tomb of Maulana Malik Ibrahim in the British Library (the others are WD 926 (39) & WD 958, f.42 (298); two more are held in the British Museum (1939.3-11.05 (55) & (56)). Though similar, the drawings are not identical, being inscribed variously in Malay, Javanese or Dutch, and differing in artistic quality.

16 Di sini tampak reproduksi dua dari empat gambar makam Maulana Malik Ibrahim di British Library (gambar yang lain adalah WD 926 (39) dan WD 958, f.42 (298); dua gambar yang lain tersimpan di British Museum (1939.3-11.05 (55) & 56)). Meskipun mirip, gambar-gambar ini tidak sama karena ditulis dalam bahasa Melayu, Jawa atau Belanda, dan berbeda dari segi mutu seni.

17 The narrative motif of the child cast to sea in a chest, and subsequently discovered and reared – found in both the Bible and the Qur'an in the story of Moses – is frequently encountered in traditional Indonesian literatures. See, for instance, **52**, depicting such a scene from the *Serat Panji Jaya Kusuma*.

17 Motif anak yang dibuang ke laut dalam peti, dan kemudian ditemukan orang dan dipelihara orang lain – yang terdapat dalam Kitab Injil dan Al-Qur'an dalam kisah Nabi Musa – sering ditemukan dalam kesusasteraaan tradisional Indonesia. Lihat misalnya **52**, dari cerita *Serat Panji Jaya Kusuma*.

18 The 12 drawings of Indonesians in Add.5253 are: 1. *An inhabitant of Iava* (f.36); 2. *An inhabitant of Java* (f.37); *A prince from the Island Gilolo in the East Indies* (f.38), reproduced in Gallop (1994:124); 25. *An Amboinese* (f.39); [untitled] a woman with a child (f.40); 21. *An inhabitant of Macassar* (f.41); 18. *A Malayese* (f.42), reproduced in Gallop (1994:16); 16. *A Ternatine or Amboinese* (f.43); 6. *A Ternatine* woman and child (f.44), reproduced in Gallop (1994:124); 7. *A Ternatine* woman (f.45); 19. *An Amboinese* woman (f.46); 20. *An Amboinese* woman (f.47). However, two pictures purportedly of Japanese women (ff.50 & 51) bear Malay/Indonesian characteristics.

18 12 gambar mengenai Indonesia pada Add.5253 adalah: 1. *Seorang penduduk Jawa* (f.36); 2. *Seorang penduduk Jawa* (f.37); *Seorang pangeran dari Pulau Gilolo di Hindia Timur* (f.38), direproduksi di Gallop (1994:124); 25. *Seorang Ambon* (f.39); [tak berjudul] seorang wanita dengan seorang anak (f.40); 21. *Seorang penduduk Makasar* (f.41); 18. *Seorang Melayu* (f.42), direproduksi di Gallop (1994:16); 16. *Seorang Ternate atau Ambon* (f.43); 6. *Seorang Ternate* [wanita dan anak] (f.44), direproduksi di Gallop (1994;124); 7. *Seorang Ternate* [wanita] (f.45); 19. *Seorang Ambon* [wanita] (f.46); 20. *Seorang Ambon* [wanita] (f.47). Perlu dicatat bahwa dua gambar yang dikatakan sebagai wanita Jepang (ff.50 & 51) kelihatan seperti wanita Indonesia.

19 See Reid (1989:113–4) for descriptions of similar bellows.

19 Lihat Reid (1989:113-4) untuk penggambaran alat peniup udara yang sama.

20 About one hundred further drawings are held in the Department of Western Manuscripts, such as a volume containing 88 drawings of plants from Pulau Pinang from the collections of General Thomas Hardwicke (Add.11027).

20 Sekitar seratus gambar disimpan di Department of Western Manuscripts, misalnya sebuah buku yang berisi 88 gambar tanaman dari Pulau Pinang yang berasal dari koleksi Jenderal Thomas Hardwicke (Add.11027).

21 The Horsfield collection of 337 natural history drawings comprises 97 drawings of birds, mammals and reptiles (NHD 1, nos.76-172), and 236 of Javanese Lepidoptera and five of mosses (NHD 9, nos.1401-1642).

21 337 gambar lingkungan hidup dalam koleksi Horsfield terdiri dari 97 gambar burung, binatang mamalia dan reptilia (NHD1, no.76-172), dan 236 gambar serangga lepidoptera (kupu-kupu dan ulat) dari Jawa dan lima gambar lumut (NHD 9, no.1401-1642).

22 The Raffles collection of 252 natural history drawings consists of 174 drawings of Indonesian birds, 69 of plants, eight of mammals, and one of a reptile (NHD 4, nos.537-665; NHD 47, nos.1-51; NHD 48, nos.1-40 & NHD 49, nos.1-32). The collection has been catalogued in Archer ([n.d.]).

22 Koleksi gambar lingkungan hidup Raffles yang berjumlah 252 gambar terdiri dari 174 gambar burung Indonesia, 69 tanaman, delapan mamalia dan satu reptilia (NHD 4, no.537-665; NHD 47, no.1-51; NHD 48, no.1-40; dan NHD 49, no.1-32). Koleksi ini telah dikatalogkan dalam Archer ([n.d.]).

23 The Marsden collection of 35 drawings is numbered NHD 1, nos.1-31; NHD 2, nos. 285,300-2.

23 Koleksi Marsden sebanyak 35 gambar lingkungan hidup diberi nomor NHD 1, no.1-31; NHD 2, no.285,300-2.

24 The Parry collection of 14 drawings is numbered NHD 2, nos. 286-99.

24 Koleksi 14 gambar milik Parry bernomor NHD 2, no.286-99.

25 Edward Clive (1754-1839), eldest son of the famous Robert Clive, was Governor of Madras from 1798 to 1803 (Archer 1962:8).

25 Edward Clive (1754-1839), anak tertua Robert Clive yang terkenal itu, adalah Gubernur Madras dari 1798 hingga 1803 (Archer 1962:8).

26 Francis Rawdon (1754-1826), 2nd Earl of Moira and afterwards 1st Marquess of Hastings (see *Albums of Indian drawings from the Bute collection*, information note by J.Losty on the acquisition by the British Library of the Bute collection, April 1995). The four drawings of Southeast Asian subjects in the collection are Add.Or.4945-7,4973.

26 Francis Rawdon (1754-1826), Earl Moira II yang kemudian menjadi Marquess of Hastings I (lihat *Album gambar-gambar India dari Koleksi Bute*, catatan keterangan oleh J.Losty pada saat British Library memperoleh koleksi Bute, April 1995). Keempat gambar Asia Tenggara dalam koleksi adalah Add.Or.4945-7,4973.

27 The young tapir can thus only have been aged a few months at the time of its discovery, for according to Farquhar, 'it begins gradually to change colour until the age of six months, by which time it has lost all its beautiful spots, and attained the general colour of the full grown Tapir' (Maxwell 1908:103).

27 Tapir muda itu pasti baru berumur beberapa bulan saja pada saat ditemukan, karena menurut Faquhar, 'binatang itu mulai berubah warna sedikit demi sedikit sampai usianya mencapai 6 bulan, pada saat mana binatang itu akan kehilangan bercak-bercaknya yang indah dan berwarna sebagaimana tapir dewasa lain' (Maxwell 1908:103).

BIBLIOGRAPHY
DAFTAR PUSTAKA

Alley, Ronald

1981 *Catalogue of the Tate Gallery's collection of modern art: other than works by British artists*. London: Tate Gallery in association with Sotheby Parke Bernet.

Archer, Mildred

[n.d.] *The natural history drawings of Sir Stamford Raffles in the India Office Library*. [Unpublished typescript].

1958 Archaeology and the British interlude in Java. *Geographical Magazine*. February:460-72.

1962 *Natural history drawings in the India Office Library*. London: Her Majesty's Stationery Office.

1969 *British drawings in the India Office Library*. 2 vols. London: Her Majesty's Stationery Office.

Archer, Mildred & Bastin, John

1978 *The Raffles Drawings in the India Office Library, London*. Kuala Lumpur: Oxford University Press.

Bastin, John

1953 Col. Colin MacKenzie and Javanese antiquities. *Bijdragen voor Taal-, Land- en Volkenkunde*, 54:273-5.

1969 *Sir Thomas Stamford Raffles. With an account of the Raffles-Minto manuscript collection presented to the India Office Library on 17 July 1969 by the Malaysia-Singapore Commercial Association*. Liverpool: Ocean Steam Ship Company.

1973 (ed.) The Java journal of Dr. Joseph Arnold. *Journal of the Malaysian Branch of the Royal Asiatic Society*, 46(1).

1990 Sir Stamford Raffles and the study of natural history in Penang, Singapore and Indonesia. *Journal of the Malaysian Branch of the Royal Asiatic Society*, 53(2):1-26.

Bastin, John & Brommer, Bea

1979 *Nineteenth century prints and illustrated books of Indonesia with particular reference to the Print Collection of the Tropenmuseum, Amsterdam*. Utrecht: Het Spectrum.

Bernet Kempers, A.J.

1959 *Ancient Indonesian art*. Amsterdam: C.P.J. van der Peet.

Blagden, C.O.

1916 *Catalogue of manuscripts in European languages belonging to the Library of the India Office*. Volume I: *the Mackenzie collections*. Part I: *the 1822 collection and the Private collections*. London: Oxford University Press.

de Casparis, J.G.

1975 *Indonesian palaeography: a history of writing in Indonesia from the beginnings to c. A.D. 1500*. Leiden: E.J.Brill.

Coedes, G.

1968 *The Indianized states of Southeast Asia*. Honolulu: University Press of Hawaii.

Coedes, George & Damai, Louis-Charles

1992 *Sriwijaya: history, religion & language of an early Malay polity*. (Monograph of the Malaysian Branch of the Royal Asiatic Society; No.20). Kuala Lumpur: Malaysian Branch of the Royal Asiatic Society.

Coomaraswamy, Ananda K.

1985 *History of Indian and Indonesian art*. New York: Dover.

Coster-Wijsman, L.M.

1953 Illustrations in a Javanese manuscript. *Bijdragen voor Taal-, Land- en Volkenkunde*, 92(3):153-63. See also: Editorial note, pp.278-9.

Desmond, Ray

1986 *Wonders of creation: natural history drawings in the British Library*. London: The British Library.

Drake

1977 *Sir Francis Drake: an exhibition to commemorate Francis Drake's voyage around the world 1577-1580*. London: British Museum Publications for The British Library.

Dumarçay, Jacques

1978 *Borobudur*. Singapore: Oxford University Press.

1986 *The temples of Java*. Singapore: Oxford University Press.

Fontein, Jan

1990 *The Sculpture of Indonesia*. Jan Fontein, with essays by R.Soekmono, Edi Sedyawati. Washington: National Gallery of Art; New York: Harry N. Abrams.

Fontein, Jan et al

1971 *Ancient Indonesian art of the Central and Eastern Janvanese periods*. Jan Fontein, R. Soekmono, Satyawati Suleiman. New York: The Asia Society.

Forge, Anthony

1994 'Raffles and Daniell: making the image fit', in *Recovering the Orient: artists, scholars, appropriations*. Andrew Gerstle and Anthony Milner. Switzerland: Harwood Academic Publishers.

Foster, Sir William

1926 *John Company*. London: John Lane.

Gallop, Annabel Teh

1994 *The legacy of the Malay letter=Warisan warkah Melayu.* With an essay by E.Ulrich Kratz. London: published by The British Library for the National Archives of Malaysia.

Gallop, Annabel Teh with Arps, Bernard

1991 *Golden letters: writing traditions of Indonesia=Surat emas: budaya tulis di Indonesia.* London: The British Library; Jakarta: Yayasan Lontar.

Head, Raymond

1991 *Catalogue of paintings, drawings, engravings and busts in the collection of the Royal Asiatic Society.* London: Royal Asiatic Society.

Horsfield, Thomas

1990 *Zoological researches in Java, and the neighbouring islands.* With a memoir by John Bastin. Singapore: Oxford University Press. [Facsimile reprint of the 1824 ed.]

Kattenhorn, Patricia

1994 *British drawings in the India Office Library.* Volume III. London: The British Library.

Klokke, Marijke J.

1993 *The Tantri reliefs on ancient Javanese candi.* (Verhandelingen van het KITLV; 153). Leiden: Koninklijk Instituut voor Taal-, Land en Volkenkunde.

Lerner, Martin & Kossak, Stephen

1991 *The lotus transcendent: Indian and Southeast Asian art from the Samuel Eilenberg collection.* New York: Metropolitan Museum of Art.

Lunsingh Scheurleer, Pauline & Klokke, Marijke J.

1988 *Ancient Indonesian bronzes. A catalogue of the Exhibition in the Rijksmuseum Amsterdam with a general introduction.* Leiden: E.J.Brill.

1994 (eds.) *Ancient Indonesian sculpture.* (Verhandelingen van het KITLV; 165). Leiden: Koninklijk Instituut voor Taal-, Land en Volkenkunde.

Maronier, J.H.

1967 *Pictures of the Tropics: a catalogue of the drawings, water-colours, paintings, and sculptures in the collection of the Royal Institute of Linguistics and Anthropology in Leiden.* 's-Gravenhage: Martinus Nijhoff.

Marsden, William

1970 *The history of Sumatra.* With an introduction by John Bastin. Singapore: Oxford University Press. [Facsimile reprint of the 3rd ed. of 1811.]

Maxwell, W. George

1909 Some early accounts of the Malay tapir. *Journal of the Straits Branch of the Royal Asiatic Society*, 52:97-104.

Miksic, John

1990 *Borobudur: golden tales of the Buddha.* Text by John Miksic. Photographs by Marcello Tranchini. London, Singapore: Bamboo Publishing in association with Periplus Editions.

Phillimore, R.H.

1950 *Historical records of the Survey of India.* Vol.II. *1800 to 1815.* Dehra Dun (U.P.): Surveyor General of India.

1954 *Historical records of the Survey of India.* Vol.III. *1815 to 1830.* Dehra Dun (U.P.): Surveyor General of India.

Raffles, Sir Thomas Stamford

1821-23 Descriptive catalogue of a zoological collection, made on account of the Honourable East India Company, in the island of Sumatra and its vicinity, under the direction of Sir Thomas Stamford Raffles, Lieutenant-Governor of Fort Marlborough. *Transactions of the Linnean Society* 13:239-74; 277-340.

1982 *The history of Java.* With an introduction by John Bastin. 2 vols. Kuala Lumpur: Oxford University Press. [Facsimile reprint of the 1817 ed.].

Raffles, Lady

1991 *Memoir of the life and public service of Sir Thomas Stamford Raffles.* With an introduction by John Bastin. Kuala Lumpur: Oxford University Press. [Facsimile reprint of the 1830 ed.].

Ricklefs, M.C.

1981 *A history of modern Indonesia.* London: Macmillan.

Ricklefs, M.C. & P. Voorhoeve

1977 *Indonesian manuscripts in Great Britain: a catalogue of manuscripts in Indonesian languages in British public collections.* (London Oriental Bibliographies; Vol.5). Oxford: Oxford University Press.

1982 Indonesian manuscripts in Great Britain. Addenda et corrigenda. *Bulletin of the School of Oriental and African Studies*, 45(2):300-21.

Scheltema, J. F.

1912 *Monumental Java.* London: Macmillan.

Wainwright, M.D. & Matthews, Noel

1965 *A guide to Western manuscripts and documents in the British Isles relating to South and South East Asia.* London: Oxford University Press.

Wilson, H.H.

1828 *Mackenzie collection. A descriptive catalogue of the Oriental manuscripts and other articles illustrative of the literature, history, statistics and antiquities of the south of India; collected by the late Lieut.-Col. Colin Mackenzie, Surveyor General of India.* 2 vols. Calcutta: Asiatic Press.